MAURICE COMTOIS, LAURIER COTÉ,
JACQUES ET JEAN DÉSY,
CHARLES MANIGAT jr, NANDO MICHAUD,
SYLVIE MOISAN, STANLEY PÉAN
WINSTON PAUL :

Meilleur avant : 31/12/99

Variations sur le désintéressement collectif

Nouvelles d'En-bas

Le Palindrome Éditeur

MEILLEUR AVANT : 31/12/1999
Variations sur le désintéressement collectif

Dessin de la couverture :
Nando Michaud

Dépôt légal : quatrième trimestre 1987
Bibliothèque nationale du Québec
Première édition
Imprimé au Québec.

ISBN   2-9801154-0-1

Le Palindrome Éditeur
174, boulevard Saint-Cyrille Ouest
Québec, Qc, G1R 2A5

Ingrédients :

Cet ouvrage peut aussi contenir : humour absurde et/ou incohérent, délires sous-réalistes, fantastiques traditionnel, moderne, post-moderne et/ou science-fiction, réalisme éthylique, satire sociale et/ou vitriol maison, suspense, horreur, *gore*, violence gratuite mais absolument non-polluante, et surtout, surtout : *un besoin viscéral de faire sauter la baraque!*

Petit guide pour la conservation du produit

> La crise c'est que l'ancien est en train de mourir et
> que le nouveau ne peut naître; pendant l'inter-règne,
> une grande variété de symptômes morbides appa-
> raissent.
>
> Antonio Gramsci

C'est bien connu, l'époque épate! Ainsi, pour ne pas être en reste — et dans le but de faire pendant au lait «longue conservation» —, nous mettons aujourd'hui sur le marché du *fast food* tous azimuts, la littérature périssable! D'où le titre* !

Suivent donc, neuf histoires qui ont en commun un humour tellement corrosif qu'il se détruit de lui-même après consommation. Les tests effectués sur un groupe-témoin sont unanimes : le danger croît avec l'usage, il convient d'éviter d'inhaler et le papier recèle une bonne proportion de fibres inconnues. Inutile d'ajouter que ce recueil de nouvelles lave plus blanc et qu'il n'a pas besoin de repassage; il est même vivement déconseillé de se le

---

* Nous devons à l'honnêteté d'avouer que nous avons longuement hésité entre
«Meilleur avant» et «Pourri après»...

passer!

Neuf auteur(e)s se partagent les pages qui suivent. **Jean Désy**, mort de rire, ouvre le bal et nous offre l'ultime introspection en nous racontant un oignon dans la vie d'un hominidé. **Sylvie Moisan** le relance en inventant rien de moins qu'un nouveau genre : le «femme-tastique». **Maurice Comtois** propose une relecture des conséquences des événements de Fatima et donne ainsi naissance au «Réalisme Socialiste Religieux». **Laurier Côté**, le Roi de la Parenthèse, accouche du second degré prêt-à-porter. **Charles Manigat jr** nous concocte des cocktails historico-délirants qui ne sont pas aussi gratuits qu'ils pourraient en avoir l'air. **Winston Paul**, dans une tranche de vie découpée dans une journée bien «cuite», réussit à saouler... même la syntaxe. Eugène Breton, le détective qui déduit (et séduit) plus vite que son oncle, apparaît dans un tramé nommé **Désy (Jacques)**. **Stanley Péan** met, sur un air connu, des mots enlevés de la bouche d'un zombi. Enfin, pour clore les réjouissances, **Nando Michaud** poursuit inlassablement ses recherches sous-réalistes dans l'espoir d'apercevoir un jour, ne serait-ce que furtivement, la petite culotte rose de la Réalité...

Absurde, fantastique, science-fiction, policier, *mainstream* : il y en a pour toutes les goules!

Bonne lecture!

L'Éditeur

Jean Désy

Risibles angoisses
ou histoire d'oignons qui faisaient pleurer

Jean Désy

Né au Saguenay en 1954, **Jean Désy** réussit, on ne sait trop comment, à concilier sa profession de médecin et de père de famille avec une carrière d'écrivain, et ce, sans trop de problèmes — sinon une difficulté sans cesse grandissante à s'auto-définir : «médecin qui écrit» ou «écrivain qui ausculte»? D'une manière ou d'une autre, Jean Désy s'occupe «des maux et des mots».

Jean Désy aime bien rire, même qu'à l'occasion il se meurt de rire. «Rire, jouissance immense et délicieuse» dit Annie Leclerc dans *Parole de femme*. Pourtant, si Jean Désy rit, c'est qu'il ne veut surtout pas se prendre au sérieux; bien qu'au fond, tout rire soit tellement sérieux...

Fidèle à sa vocation hippocratique, il nous offre ici une excursion médico-littéraire.

Publications :

Les aventures d'un médecin sur la Côte-Nord, récit autobiographique (Trécarré, 1986).
L'écrit primal #1, 2, 3, 4
XYZ #10, 11

Risibles angoisses
ou histoire d'oignons qui faisaient pleurer

Que j'aime donc me reposer, me prélasser la carcasse! Immobile, dans un demi-sommeil, j'imagine le ballet neurologique de mes deux ou trois milliards de cellules grises réfléchissant à mon farniente et je jouis, immensément, de cette intense activité passive.

Comme je suis bien, couché sur le dos, en décubitus dorsal... les cubitus repliés sur la poitrine, les radius s'y jouxtant. Union tout ce qu'il y a de plus charnel, avec en bout de ligne les deux menottes jointes, dans un appel céleste à tout ce qui a existé et sera encore, pour l'éternité... Amen.

Ah! je suis si confortable, à l'horizontale, les deux fesses moulées par la pesanteur, les aines ramollies par la jouissance, les jambes allongées et les pieds relevés vers le haut, les orteils enfin libérés de ce fardeau quotidien qui aurait fini par les rendre complètement marteaux. Et

11

surtout, contentement suprême, l'hallux valgus de mon pied droit est au repos. Ce maudit oignon détestable, qui n'a pas cessé de me faire souffrir durant toute ma chienne de vie verticale, dort enfin. Il m'en aura fait baver, ce tubercule de malheur, depuis le premier moment de sa conception, un jour de ma petite enfance où j'avais botté de travers le coccyx du gros Tremblay qui me lançait des cailloux. Nous avions lâché simultanément le même cri de douleur, pour deux raisons anatomiques fort différentes cependant. J'étais revenu en boitant chez ma maman, le gros orteil démesurément gonflé.

Dans les années qui suivirent, mon oignon me fit pleurer à chaque chute de baromètre; dès que le moindre cumulo-nimbus se pointait au loin, un vague élancement naissait du plus secret de ma phalange, se muant en lancinantes torsades et se métamorphosant très vite en spasmes épouvantables qui me forçaient à m'asseoir. Une chaleur infernale envahissait ensuite mon orteil qui virait au bleu puis au rouge (était-ce là la naissance d'une nouvelle phalange politique?). Une méta-enflure carabinée achevait cette apocalypse podagruelle et me laissait invalide pour plusieurs jours, m'enlevant toute envie de sauter à la corde ou de botter à nouveau le derrière des imbéciles.

Ma mère, évidemment inquiétée par de pareils soubresauts d'invalidité, consulta la médecine officielle à mon sujet. Malgré mon jeune âge, le vieux docteur du quartier songea immédiatement à une podagre.

— La goutte du gros orteil! tonna-t-il de sa vieille voix éraillée par le tabac.

Intéressé au plus haut point par mon cas, il me palpa affectueusement (le gros orteil) pendant de longues minutes, assez pour se rendre compte qu'il s'agissait plutôt d'un simple oignon post-traumatique. Il conseilla le repos et suggéra d'éviter l'humidité — conseil plus que détestable quand on vit sur le quarante-sixième parallèle, entre la baie d'Hudson et le courant du Labrador, au sein du plus maléfique trou à pluie créé depuis Noé. Lorsque l'illustrissime doc m'entendit demander à ma mère si nous déménagerions dans le désert du Nevada pour mettre mon tubercule au sec, il se mit à rire et affirma, la main sur mon épaule :

— Il ira loin ce gamin-là... mais pas en courant!

Et il rit encore plus fort de sa voix tumorale. Entre deux hoquets, il ordonna une série de petites pilules bleues et blanches qui eurent le don de me tournebouler l'estomac.

Après plusieurs mois, devant la défaite de la médecine traditionnelle et le décès de notre médecin de famille emporté par un rire trop gras et un cancer du larynx, ma mère finit par me jeter dans la gueule de la médecine parallèle qui, soit dit en passant, existait déjà à l'époque. Elle me traîna chez un rebouteux qui s'exclama, en voyant mon orteil enflé et tout rouge :

— Tu devrais le planter dans ton jardin c't'oignon là! C'est pas des pieds de céleri qui pousseraient!

Mais malgré tout son humour grisâtre, il finit par me soulager en étirant adroitement mon membre tuméfié.

C'est d'ailleurs grâce à ses conseils que je parvins à subir les inévitables orages d'été sans trop d'appréhension; dès que la douleur apparaissait, je manipulais savamment mon orteil. Pour ceux qui auraient des problèmes avec certains de leurs membres tuméfiés, voyez votre ramancheur local! Ainsi fut-il de cet oignon et de mon premier contact avec les maladresses de la Nature à mon égard.

Grâce à un tel souvenir, je profite pleinement de ce repos mérité, de cet arrêt dans la course de mon pauvre corps contre le temps. Quand je repense à toutes ces cicatrices accumulées au fil des années, je prolonge sans aucune gêne ce moment de dolce vita. Je détends avec compassion chacun de mes os, piliers de ce squelette qui me tint debout si longtemps et m'évita de ramper parmi les escargots, limaces et autres gastéropodes de tout acabit.

Je me souviens en particulier de mon tibia, parce qu'il rue encore souvent dans les brancards de mon passé. Un jour, après le plus extraordinaire dessalage de ma vie de canoteur, il s'était cassé net en heurtant un rocher de la rivière Noire. Quelle fracture, mes amis! Emporté par un courant printanier, fou comme le casaque de quatorze ans qui s'était aventuré seul sur la rivière, j'avais sauté le seuil d'un rapide classé «cataracte» dans le guide des rivières (vous «voyez» ce que je veux dire?). Mon canot avait fait une cravate (pas un nœud papillon) et s'était rempli d'eau. Propulsé à toute vitesse contre les rochers, j'avais pu sauter *in extremis* dans la rivière. Pas assez vite cependant pour que mon tibia gauche ne serve d'amortisseur au canot qui tamponnait une grosse pierre. L'os s'était cassé dans un craquement de biscuit soda, me donnant l'occasion d'expérimenter la douleur à son meilleur. Ayoille! m'étais-je entendu glouglouter, la tête sous l'eau et la jambe sous le bras. Peut-être avais-je aussi lancé quelques autres jurons plus sérieux, je ne me souviens plus; car je perdis conscience, sous l'effet de l'atroce sensation qui montait vers l'aine (y a-t-il des poètes parmi les lecteurs?) et aussi de la noyade qui s'en venait à grandes goulées d'eau glacée.

Mais je ne mourus point... ben voyons! Emporté par de puissantes vagues, je dus voyager quelques centaines de mètres vers l'aval des rapides (en banlieue de Montréal). Et dans un miracle typique des contes de fées et des histoires à dormir debout, je fus sauvé par des campeurs qui admiraient la beauté des détritus que charriait la rivière Noire en furie. À l'hôpital de brousse, un infirmier me demanda de mordre dans une guenille pendant qu'il déverrouillait ma jambe et l'ajustait dans une attelle. J'ai conservé une photo de cet infirmier, dans une malle poussiéreuse du grenier, enveloppée dans la même guenille... souvenir dans le genre «suaire», quoi! On me fit un plâtre et on enterra les restes de mon canot dans le cimetière voisin. Quelques fleurs garnissent en permanence sa tombe. Il faut vous dire que dans l'arrière-pays de chez moi, on a du respect pour les canots victimes des rivières en crue et des chauffards qui les conduisent...

Les mois subséquents furent intolérables; au lieu de se souder, les fragments d'os se mirent à suinter (j'entends déjà quelques olibrius blasphémateurs faire le lien entre mon tibia malade et une image sainte! Taisez-vous donc, bande d'iconoclastes, dirait un certain capitaine à la verve inspirée) et on dut me refaire un plâtre sec chaque semaine. Une substance gluante, verte et odoriférante, jaillissait en permanence de mon membre inférieur, comme d'une source vive. On m'opéra, pour découvrir que je faisais une splendide ostéomyélite à salmonelle. On me taillada les chairs, on me grugea le tibia, on m'aspergea d'eau stérile, on me noya d'antibiotiques et on me ligota la jambe de fils résorbables. Quand j'appris que la bactérie en question (*salmonella typhimurium*) provenait sans l'ombre d'un doute des eaux souillées de la rivière Noire, une fureur terrible s'empara de mon être, habituellement civilisé et bardé d'inhibitions, et je n'eus que l'envie de trucider tous les diarrhéiques campeurs du dimanche qui avaient pollué sans vergogne ma rivière. Ah! je rage encore contre ce monde excrémentiel qui fait pourrir tout ce qui coule et vit. Frères! Unissons-nous! Luttons pour la sauvegarde de notre patrimoine écologique et bâtissons des fosses septiques à travers le monde! À bas la merde, à l'air et à l'eau libre! Enfouissons nos déjections!

Excusez ce léger mouvement d'impatience. Je ne voulais que vous donner une petite idée de la colère qui me bouleversait en ces temps mouvementés, surtout lorsque je voyais pulser de mon tibia en éruption les laves de pus qui semblaient ne jamais vouloir se tarir. Pourtant, après de longs mois de traitements incessants (prodigués par les autres) et d'infinis atermoiements (psalmo-diés par moi-même), je finis par guérir. Je ne devais pas en rester trop infirme, bien que le séquestre de ma jambe, ce morceau de tibia frappé de nécrose, augmentait d'un cran mes incapacités premières, nées de mon oignon podologique. Je sortis de cette guerre d'usure, contre l'affreuse salmonelle, maigre comme un clou et boiteux comme une béquille. Pourtant, je m'en libérai, et plus lucide justement : j'avais souffert, et la souffrance éclaire l'esprit humain, le rend plus lumineux. Sachez, chers esprits avides de philosophie existentialiste, que le mar-tyre permet d'atteindre des extases d'une incommensu-rable dignité. Je dirais même, dans un mystique élan de sagesse orientale : «À bas la santé qui avilit, vive la mala-die qui sanctifie!»

Mais je blague (vous en doutiez?). Rien ne vaut la santé, surtout quand on a goûté aux affres sordides de la souffrance. Vous voyez que je suis devenu un sage, dans mon genre... J'ai peut-être boité pendant toute mon exis-tence, à cause de mon oignon droit et de mon séquestre gauche, mais la chance a voulu que ces deux accidents de parcours surviennent sur deux membres différents. Boi-tant également des deux jambes, mon apparence globale s'en est toujours trouvée améliorée et lorsqu'on me voyait marcher, on se demandait d'emblée si j'avais bu ou chié dans mes culottes. Maigre consolation, me direz-vous? Morbleu, que non! Il vaut mieux tituber et avoir l'air alcoolique, surtout si l'on est sobre, que de boiter pour un handicap qui ne prête à aucune confusion. La philosophie bouddhiste qui sous-tend ce raisonnement nous apprend ceci: l'homme sage est celui qui paraît fou tout en sachant très bien qu'il est sage. Quant à la philosophie taoïste, elle n'en dit pas grand-chose.

C'est pourquoi je me permets de sourire en repensant à tous ces cons qui ont ri de ma démarche. Ils riaient pour la mauvaise raison, et c'était là tout leur tort; il n'y avait que moi qui savais la vérité. Voilà tout le sens de ma démarche... intellectuelle!

Ma vie a été ainsi ballottée entre la paix de la santé et les tourments de la maladie. Je suis né et j'ai crû (me croyez-vous?), malgré la destinée qui me harassait. J'ai su demeurer positif, comme un proton gravitant au cœur de sa molécule, et j'ai accueilli les maux qui m'assaillaient avec tout le courage dont j'étais capable. J'ai affronté les tempêtes la tête haute et la chemise ouverte, face à l'inconnu qui se faisait connaître; j'ai eu droit à ses gifles comme à ses coups de massue, mais toujours, j'ai su garder mon vaisseau à flot. J'ai bien souvent failli faire naufrage mais j'ai pu tenir la barre à deux mains, luttant frénétiquement contre l'adversité. Quand je songe à ce qu'a été ma vie, comme je me trouve beau, grand et admirable!

Je dois cependant admettre que j'ai aussi eu quelques faiblesses, quelques instants de profond découragement. Je n'ai pas toujours été le héros que je voulais être, courageux conquérant du temps qui passe et qui rend malade.

Et pourtant, quand je me souviens de ma péritonite aiguë, je redeviens fier de moi.

Un jour, un caillou malotru décida de provoquer dans mon petit ventre la plus belle appendicite du monde. Je profitais plus que jamais de l'existence, courant, dansant et chantant, aimant, jouant et mangeant, quand une indicible douleur me fit plier l'échine. Avec un ami, je n'avais dégusté que trois ou quatre pizzas, accompagnées d'insignifiants amuse-gueule aux huîtres que nous avions arrosés de quelques litres de cuvée-maison; une petite fête gastronomique, quoi! Peut-être était-ce le pepperoni, ou bien les anchois, mais quelque chose poussa ce calcul perdu (qui cherchait probablement sa mère dans une de mes boucles digestives), à se faufiler dans le secret de mes boyaux et à obstruer mon appendice qui se gonfla comme un ballon. Le temps d'avaler deux coupes de vin et trois pointes de pizza... ça y était!

Comme j'étais jeune et peu préoccupé de mes destinées physique et spirituelle, je n'écoutai pas ce premier signal d'alarme et continuai à m'empiffrer toute la soirée. Stimulé par la boustifaille italienne et les rasades de nectar bachique, mon appendice s'enfla et s'enfla, se contentant d'envoyer à mon cerveau grisé par les plaisirs de la chair d'intermittents messages douloureux. Ce n'est que lorsque mon intestin éclata que le signal de détresse devint assez fort pour obnubiler mes papilles gustatives; je roulai sous la table et mon compagnon de beuverie dut demander de l'aide simplement pour me coucher sur un banc. Ratatiné en chien-de-fusil, je râlais des vapeurs de sauce tomate tout en implorant le Grand Boucher de m'extirper le mal qui me rongeait les entrailles.

Ce fut une charmante chirurgienne, aux doigts de fée et aux yeux de déesse, qui me raconta l'histoire de mon calcul, le lendemain. Elle me dit que l'opération s'était bien déroulée mais que mes excès de table avaient failli me coûter la vie. Avec un tuyau dans le bas-ventre, un autre dans le nez et un dernier dans mon organe habituellement érectile, je me contentai d'acquiescer à toutes ses recommandations. Je n'abuserais plus de vin trop froid. J'écouterais mon abdomen quand il me lancerait des cris d'alarme.

Il me fallut quinze jours pour me débarrasser du dégât qui salissait mon intérieur abdominal. Mais! J'étais fort et j'avais l'esprit ailleurs! Je ne me laissais pas aller à la dépression facile. Je combattais! Je luttais parce que j'étais positif. Je planifiais mon existence de plus en plus trépidante. J'organisais dans ses moindres détails le grand spectacle dont je devais être la vedette! Mon ventre, même amoché, était le dernier de mes soucis. Jamais l'idée de mourir ne m'effleura, pas même une seconde, car je possédais la jeunesse, cette suprême qualité qui permet de regarder résolument vers l'avenir, sans se préoccuper des incidents de parcours. J'étais jeune, donc j'étais beau; j'avais été malade comme un chien mais j'étais demeuré droit comme un chêne dans la tourmente (mis à part le petit moment de réflexion... en chien-de-fusil).

Vivat et bravo pour moi et ma jeunesse! Hourra pour la juvénilité!

Couché sur ce dos qui repose en paix, je me délecte pleinement de ma situation de non-douleur, *adolorosique,* suggéreraient certains latinistes âgés. Mon ventre est souple, orné d'une magnifique cicatrice, et il ballonne vers le ciel. Ma jambe gauche, légèrement surélevée, se trouve sur un coussin de flanelle. Je peux même observer la petite bosse que fait mon séquestre, en plein centre de l'ancienne fracture à mon tibia. En ce moment, je ris de ces souffrances passées, qui ne sont plus que des anecdotes parmi toutes les autres du grand livre de ma vie, enfouies dans les dédales de la Réminiscence.

L'atmosphère qui m'environne est maintenant toute chaude; je me sens comme un fœtus baignant au sein de l'amnios maternel, comme un chameau s'abreuvant à l'oasis saharien, comme une crevette massée par le flux de la marée montante. Il règne, partout autour de moi, un calme olympien; pas un vent, pas un bruit ne viennent troubler ma quiétude, mon confort, ma sécurité. Mon ego flotte dans un Eden de joie profonde; je suis un colibri gavé par le nectar de sa fleur. L'air que je respire n'est ni trop sec, ni trop humide, embaumé de suaves effluves qui ondoient à l'unisson. Mes poils nasaux vibrent, au creux de mes cornets, dans un sensuel tango olfactif. Je valse à la mesure de mes cils vibratils, bercé d'odeurs mordorées de passé, emporté par l'univers odoriférant de mes souvenirs.

O réminiscences! O souvenances! Senteurs des tisanes que me servait ma mère quand j'avais la grippe. Il
suffisait d'un simple écoulement nasal, d'une petite toux
ou d'un rhume insignifiant pour qu'elle me mette au lit et
m'ordonne les plus agréables traitements. Enivré du
bonheur de celui qui profite majestueusement de la maladie saisonnière, je me laissais soûler par ses frictions, ses
remèdes à la camomille et ses couvertures chaudes. Les
draps immaculés sentaient la lavande, la cuisine s'em-
plissait des parfums de thé au jasmin, de gâteau au chocolat et de parfait à la menthe. Toute la banalité du coryza
disparaissait devant la grandeur des soins bienveillants
qu'elle me prodiguait. Par la chaleur de sa main, ses
sourires merveilleux, ses baisers sur mes joues en feu et la
surabondance des délicatesses gustatives dont elle me
gavait, je guérissais, sans qu'elle eut recours à aucune
médication véritable. Je ne savais pas que j'expérimentais
alors les vertus miraculeuses de l'amour et du placebo.

Je flotte dans un monde olfactif, entouré de mille ex-
halaisons vivantes qui s'insinuent au creux de mon naze et
se fondent jusque dans les parties les plus intimes de mon
cortex cérébral.

Et tout à coup, je me rappelle une fraîche odeur de
sapinage répandue dans un sous-bois, un jour où le printemps m'avait surpris avec ma première flamme. Les
troncs turgescents des épinettes blanches craquaient sous
la poussée de la sève, laissant couler jusqu'à terre de
longues traînées de gelée gommeuse. Elle était belle,

j'étais beau. Nous avions marché toute la journée, perdus dans une forêt enchantée, grisés d'un amour neuf. Je l'avais embrassée, elle avait répondu à mon baiser par un de ces attouchements merveilleux qu'une simple description ne ferait que ternir et que je ne décrirai pas, malgré votre secret désir. Nus comme des vers, isolés dans notre propre cosmos devenu cocon magique, nous nous étions aimés durant des heures, enlacés sur un tapis humide d'aiguilles de pins. Le soir était venu; nous nous caressions encore, éclairés par les reflets bleutés de la lune. Engloutis dans le bonheur, nous avions laissé la rosée se déposer en fines goutellettes sur nos corps transis, juste assez pour qu'au petit matin, j'en attrape la plus fulgurante pneumonie qui soit survenue dans toute l'histoire de la pneumologie mondiale. Quant à ma dulcinée, elle en fut quitte pour une larmoyante sinusite qui devait se chroniciser et l'incommoder pendant des lustres, longtemps après que mon mal ait achevé de nous séparer. Dans une lettre qu'elle m'envoyait, il y a quelques années, je l'entends encore m'écrire de sa voix nasillarde : «Monchour très cher abi, gomment ça va?»

Je passai six mois à tousser, cent quatre-vingt-trois jours à expectorer, deux cent soixante-trois mille cinq cent vingt minutes à râler (voulez-vous connaître le nombre de secondes que je fus à m'apitoyer sur mon sort?). À cause d'une simple nuit d'amour vécue dans une frénésie toute élégiaque, de quelques grammes de jouissance éjectés à la face de la banale quotidienneté, je dus cracher des tonnes d'expectorations, évaporer des litres de sueur et chialer des centaines de dictionnaires d'invectives contre le mauvais sort qui s'acharnait sur moi et bafouait sans cesse ma santé.

La pneumonie : quelle maladie essoufflante entre toutes les autres! Surtout lorsqu'elle se complique d'un pneumothorax suraigu qui affaisse complètement un des deux seuls poumons disponibles! Eh oui! Après de longs mois de fièvre et de sifflements, de faiblesse maximale et de maux de tête abrutissants, au moment où je me croyais enfin sorti de l'enfer dans lequel m'avait projeté la pneumonie, je fus éveillé un matin par une atroce douleur au côté droit. Persuadé que j'allais trépasser, ma famille éplorée m'amena d'urgence à l'hôpital où on constata la complication:

— Intéressant! me dit un interne boutonneux à l'allure «jekyllesque». Un pneumothorax! ajouta-t-il avec un cynisme repoussant. Trop toussé! enchaîna-t-il, antipathique. Le poumon a tout simplement éclaté!

Le misérable! L'infâme cancre médical! Qu'avait-il appris de la compassion pendant ses études? Rien! Il m'étudiait de son œil glauque, froid et calculateur, cherchant les détails qui lui permettraient peut-être, ô suprême contentement scientifique, de publier dans une prestigieuse revue médicale. Qu'en savait-il, lui, de la toux et de l'impossibilité totale de la contrôler pendant une pneumonie? Rien de rien? Je mordais mes lèvres desséchées. Je me triturais les gencives. Je pourfendais la poussière qui voguait dans ma chambre avec d'effroyables cligne-ments d'yeux.

Si j'avais alors eu la force de répondre à cet «hydeux» interne, ne fut-ce que quelques secondes, je lui aurais fait connaître, à ma façon, les quatre vérités de l'essoufflé qui crève à bout d'oxygène! Mais je ne le pou-vais pas, ma situation étant tellement critique que je devais me contenter de me laisser tripoter, des amygdales jus-qu'à l'oignon, sans réagir. Finalement, on daigna me soigner : un chirurgien, d'allure pressée, mais plutôt adroit de ses mains, vint planter dans mon thorax une longue tubulure de plastique salvatrice. Je fus subitement libéré d'une portion de mes tourments, l'air vicié qui s'était agglutiné au sommet de mon poumon se trouvant éjecté dans un grand souffle.

O joie! O profond plaisir de renaître, après être passé si près de la mort charnelle! Quel délire méta-physique de sentir le trépas nous frôler et puis nous aban-donner sur son passage! Quel plaisir suprême de faire un pied de nez à Madame la Faucheuse!

Grâce à cette nouvelle plaie d'Egypte qui s'était abattue sur mon existence, je prenais cette fois conscience de l'omniprésence de la mort qui m'environnait et j'accé-dais à de nouveaux et grandioses questionnements philo-sophiques, du genre : «Existe-t-il plus triste situation que celle de l'homme qui se meurt à bout de souffle?» ou «Y a-t-il plus macabre destinée que celle de l'alvéole pulmo-naire contaminée par des flots de bactéries aussi vicieuses les unes que les autres?»

Non! Non et non! me disais-je, en cette période noire de ma vie. Mises à part quelques peccadilles comme «la torture aux électrochocs, les pieds dans un bac d'eau salée et les yeux dans la graisse d'ours», ou «la gangrène gazeuse du mollet ayant atteint la base du cou», il n'existe pas de plus sordide pathologie que celle du chuintement de la pneumonie au creux de la poitrine! Voilà un pas de géant dans l'avancement de la réflexion métaphysique humaine! me répétais-je, socratement, presque en catimini.

Et maintenant, délivré de cette pneumonie pénible mais formatrice, je me remémore avec un sourire en coin ma juvénile naïveté. Moi, faisant l'amour pour la première fois sur un lit d'aiguilles de pins, l'esprit ravagé par les effluves de résineux et de petite culotte, oubliant les plus élémentaires consignes d'hygiène que m'avait apprises ma maman. Demeurer tout nu dans la nuit, même en se réchauffant du corps d'une amante tourmentée elle aussi par le désir, ce n'est rien de très sain, me diront ceux qui se soignent la santé. Et ils auront raison. Que voulez-vous! L'amour rend fou, aveugle, débile et exubérant. Il fait en sorte que des esprits aussi raisonnables que le mien succombent un jour et se laissent emporter par leurs désirs fondamentaux, abandonnant leurs organes et leurs poumons à tous les contaminants qui passent. J'avais eu une faiblesse, je l'avoue, mais j'en garde tout de même un souvenir ravi. La charmante, qui s'appelait Jacinthe, ou Pétunia peut-être, me permit d'accéder à certaines sensations hautement euphorisantes que je n'aurais probablement jamais connues autrement. Dieu ait son âme, maintenant qu'elle est morte depuis belle lurette... d'une syphilis tertiaire qu'elle ne couvait heureusement pas encore du temps de nos amours!

Je suis couché, émerveillé de ce souvenir aphrodisiaque qui ne cesse de provoquer en moi une foule de petits orgasmes intellectuels tout à fait divins. Ma vie a été frappée par la pneumonie, c'est vrai. J'ai connu les horreurs de la respiration laborieuse, larvaire et amibienne et j'ai pensé à la mort pour la première fois, c'est vrai. Mais je n'ai qu'à songer aux instants apoplexiques que Rose (ou était-ce Marguerite?) et moi nous échangeâmes pour que j'oublie tout, toux, tubulures et crachats. Ainsi l'esprit humain est-il fait : par un ingénieux système probablement développé aux heures grises de l'évolution préhistorique, le cerveau a l'extraordinaire pouvoir d'oublier en grande partie les souffrances et de ne conserver entièrement que les moments heureux.

Certains nostalgiques me diront qu'on n'oublie jamais vraiment les souvenirs affreux du passé. Je leur répondrai que, presque toujours, la mémoire effectue un tri et ne conserve finalement que les impacts positifs, parce qu'elle doit veiller à l'avenir. Puisque tout le futur de la race humaine se situe là, dans l'avenir(!). S'il fallait que la mémoire retienne avant tout les moments pénibles de l'existence, elle finirait très vite par annihiler complètement les pulsions libidineuses qui poussent les humains et les humaines à s'accoupler et ç'en serait fini de la lignée homo sapiens. Simple, n'est-ce pas? Ainsi s'explique par exemple l'imperturbable volonté de vivre des torturés d'Amérique du sud, des concentrationnaires du Goulag, ou même des femmes d'Afrique orientale qui ont été clitoridectomisées.

Je ne ressens plus aucune douleur en ce moment, bien au contraire. (En aurais-je encore si j'avais été créé femme en Afrique orientale?). Je suis bien, extrêmement bien. Et je me remémore avec délices les accidents de parcours de ma vie parce qu'ils mobilisent mon esprit et me permettent d'apprécier à quel point je peux jouir. Oui, je jouis, en ciboulette à part ça. Avec des roulements de tambour dans les tempes, des torsades de pointes dans les oreillettes et des convulsions dans la gangrène. Jouir, à en mourir. Connaître l'apothéose des sensations humaines; entendre des concertos de jouissance bercer le thalamus, toucher aux délices cutanées, goûter aux joies de la chair, renifler les aromates du désir et palper les troncs prêts à exploser de sève printanière. S'abandonner et se laisser croquer, tel un fruit mûr. Voilà l'essentiel, le *modus vivendi* existentiel. Sauf qu'il y a un hic! Tout va, mais seulement si chacun des instruments permettant la jouissance fonctionne. Vous me suivez, j'espère? Il ne suffit que d'une simple incartade, d'un futil oubli, pour que des monstres vénériens contaminent le méat urinaire et viennent perturber la fragile harmonie du pénis en rut. Voilà! Le mot est lâché. L'esclandre peut avoir lieu!

Le jour de mes quarante ans, alors que la vie m'avait gâté (hormis quelques petites maladies déjà suffisamment décrites, j'avais tout eu : travail, honneurs, argent; épouse, enfants, vaisselle!), il me vint la malencontreuse idée de forniquer un peu trop et un peu vite...un peu trop vite, quoi. Il était écrit dans le ciel, quelque part autour de la ceinture d'Orion, peut-être en bas, que j'aurais un jour cet instant de faiblesse. Fidèle plus que jamais à la destinée qui guide mes pas, je l'eus donc! Un bar, un soir, une fille, inconnue, une chambre, jolie, un plaisir, accompli. Ce fut tout. Une semaine plus tard, l'organe en feu, je me perdais en injures contre les uréthrites, les vicieux et les vicieuses qui les transportent et en redemandent. J'étais en partie responsable de mon malheur, mais cela ne le guérissait pas, bien au contraire. Maudite guigne qui s'acharnait irrémédiablement sur mon sort et provoquait les plus terrribles dégouttements. Uriner était devenu une torture, mais combien insignifiante comparée aux angoisses existentielles qui germaient dans mon esprit troublé : n'était-ce pas un cadeau empoisonné de la dame aux chlamydias qui me contaminait d'une bactérie résistante à tout traitement, vouée à s'installer définitivement dans mes canaux les plus intimes? Je courus consulter. On m'écouta, me dosa, me guérit. Merci, médecine moderne, si bonne pour les membres de votre communauté, si douce à traiter les impotents de la terre.

Certains, qui n'auraient eu à subir que le quart de mes malheurs, pourraient demander un repos pareil à celui dans lequel je baigne en ce moment. Et ils l'obtiendraient! C'est dire la profonde jouissance qui m'étourdit rien qu'à savoir que je mérite mon actuel apaisement. J'ai pu guérir de cette chaude gonorrhée. Ma vie fut plus tranquille par la suite, c'est-à-dire que j'appris à planifier mes pulsions et à garder en permanence tout le matériel protecteur qui s'imposait. On se comprend?

Si je me souviens bien, la maladie ne me frappa à nouveau que plusieurs années plus tard. C'était un merveilleux matin de printemps. Des arômes nouveaux jaillissaient par centaines de la terre qui remuait d'impatience. Les feuillages vert tendre éclataient sous le soleil. Je photographiais un couple de pinsons à gorge blanche qui s'ébattaient dans un bosquet de cèdres et lançaient à qui mieux mieux de joyeux «Frédéric-Frédéric». Soudain, il fit nuit. *Diantre! Que le soir tombe tôt aujourd'hui*, me dis-je, un peu niais. Délaissant mon appareil-photo, je m'aperçus que j'étais subitement devenu aveugle de l'œil droit, le gauche se trouvant fermé par la grimace photographique conventionnelle. Rouvrant immédiatement mon bon œil, je redécouvris les joies de la lumière et des ombrages dans les futaies. Mais ce bonheur fut de courte durée, ne voyant pas la lumière revenir stimuler les cônes et les bâtonnets de ma rétine droite.

Chez l'ophtalmologiste, on m'expliqua qu'un vaisseau malade (peut-être fantôme, sait-on jamais?) avait rempli mon œil de sang, obscurcissant mon champ de vision de manière irréversible. On tenta mille traitements, on me lasérisa la chambre postérieure, on m'opéra la sclérotique, on me perfora la cornée; rien n'y fit. Au bout de cinq à six semaines, on me renvoya chez moi en me faisant promettre de faire attention à mon dernier œil valide. Ce que je fis, bien entendu, tout en remerciant le ciel de m'avoir conçu avec deux yeux. Pour la première fois de ma vie, je prenais conscience des vertus de la vision. Plus jamais, par la suite, je ne devais regarder le paysage avec le même œil... figure de style, j'entends. Borgne, je me consolai en me rappelant le proverbe populaire: «au royaume des aveugles, les borgnes sont rois». Mais quand il me revint en mémoire que je boitais en plus, je me mis à pleurer sur mon sort, royalement, quelques minutes seulement, parce que vous aviez compris depuis de nombreuses pages que je ne suis pas du genre dépressif.

Me bottant le postérieur à l'aide de mon oignon, je me violentai et regagnai assez d'énergie pour cesser de penser à toutes ces choses lugubres qui me passaient par la tête. Je rephotographiai d'autres oiseaux, un aigle à tête blanche et une buse à queue rousse (quel beau couple ils faisaient) et je me fis un sourire complice lorsque je me rendis compte que je n'avais plus à fermer mon œil aveugle pour faire de la photo. Consolation de sot, penseront certains énergumènes. Pas du tout! Il faut voir le bon côté de la vie! Et voilà pour votre exercice quotidien d'optimisme appliqué!

Cependant, je demeurai toujours un peu inquiet par la suite. Avais-je le mauvais œil? Que se passerait-il si mon seul organe visuel valide s'éteignait à son tour? Je n'osais pas réfléchir plus intensément et irriter mon imaginaire nyctomorphe, de peur de provoquer le destin, déjà passablement soupe au lait à mon égard. Je me tins donc coi, pendant quelque temps, regardant les belles femmes du coin de l'œil, ne lançant que de rares œillades à la mienne, évitant les clins d'œil inopportuns qui auraient pu éveiller certaines jalousies mesquines. Je n'irais pas jusqu'à dire que j'avais mis des œillères mais je demeurais sur mes gardes, me contentant de cultiver sagement mon jardin, mes œillets...et mes violettes!

Et la vie reprit son cours normal, comme un ruisseau de montagne après les débordements du printemps. Je m'habituai à mon handicap; on s'habitue à tout, il faut dire, puisque ma femme ne m'avait pas encore laissé. Je regoûtai pleinement à la vie et à ses charmes. J'avais vieilli... et plus le temps passait, plus j'essayais d'en capter toutes les petites joies. D'ailleurs, quand on se préoccupe de jouir de la vie, c'est presque toujours qu'on a plus de vie vécue que de vie à vivre.

Quel bonheur de pouvoir me reposer, la tête au même niveau que les rotules, enfin libéré de ces envies de voyagement qui passionnent l'esprit de tout humain normalement vagabond. Parce que moi aussi, comme beaucoup de mes semblables, j'ai aimé déplacer mon postérieur au large des servitudes de la chaise de cuisine et du banc de toilette habituel!

Un jour, je suggérai à ma femme de faire une promenade au sommet de la plus haute montagne du pays;

histoire de voir jusqu'à quel point elle m'aimait encore. Elle accepta. Surpris, je faillis m'évanouir rien qu'à la pensée de cet alpinisme de trois mille mètres. D'autant plus que je faisais de l'angine de poitrine depuis deux ans et qu'on m'avait fortement recommandé de ne pas faire subir d'exercices trop violents à ma patate. Mais il faisait beau et je n'avais pas eu de crise depuis des semaines. J'irais donc.

Le pays vivait un de ces splendides automnes, si rares il faut l'avouer, après qu'il eût plu quatre-vingt-six jours d'affilée pendant l'été. Les arbres rouges, bleus et jaunes (vous ne saviez pas que j'étais daltonien?) pavoisaient dans l'azur immaculé (tiens, c'est joli!), des armées de fauvettes frétillantes froufroutaient dans l'air frais, en partance pour des contrées plus clémentes (ah! le lyrisme), un nordet enthousiaste soulevait les casquettes en ébouriffant les chevelures grisonnantes (la poésie aurait-elle une limite?). Je marchais avec ma compagne, celle qui m'avait enduré toutes ces années, subissant dignement l'affront de mes incartades libidinales et se riant de mes uréthrites. Nous avancions sur une route abrupte, cheminant parmi la rocaille et les herbes folles. Il faisait frisquet, j'avais chaud. Ma femme, hormonalement protégée contre les années qui apesantissaient nos destinées respectives, grimpait sereinement. Moi, touché par la masculinitude, je me sentais beaucoup moins en forme. Mon cœur débattait, avide de sang, tel un vampire en manque d'hémoglobine, et tentait de propulser quelque énergie jusqu'à mes jambes flageolantes. Je dus m'arrêter à mi-chemin, complètement épuisé. Ma pompe battait la cha-made, mes tempes battaient comme des cymbales et ma femme battait la mesure! Pour me stimuler, elle tapait dans ses mains en chantant *Hava Naghila*. Quelle grande âme : vouloir fortifier son mari magané en lui chantant des chansons exotiques! J'aurais bien voulu lui giguer une petite polka pékinoise mais je n'avais pas le goût de plai-santer. Voyant ma mine abattue et mon faciès pâle et tiré, elle cessa ses élucubrations et devint plus attentive.

— Qu'est-ce qu'il y a, mon amour? me demanda-t-elle avec un accent yiddish. Tu as l'air un peu écœuré?

— Mais non, chérie, lui répondis-je pour la rassurer. Ce doit être le cipâte russe qui ne passe pas!

Cette conversation et ma position couchée me re-donnèrent des forces. Orgueilleux, je me soulevai vive-ment, mine de rien. J'avais voulu monter jusqu'au som-met de cette montagne, je monterais! Mais après une centaine de mètres, un mal de cœur tout ce qu'il y a de plus malsain m'envahit. Je n'avais pas le cœur à rire, ma femme non plus cette fois-là. Quand je l'entendis fre-donner le *Requiem* de Mozart, un léger frisson vint me secouer. Elle ne cessait de me regarder.

— Tu as un drôle d'air! me dit-elle, le visage défait par l'inquiétude. Tu dois être malade!

Oh! Non! Pas encore la maladie qui revient à la charge! songeai-je, tout bas. J'étais décidé à laisser ma mâle fierté de côté et à rebrousser chemin quand soudain, comme un coup de harpon dans la tête d'une baleine, comme un iceberg se fracassant dans la mer, comme une bombe à hydrogène qui aurait implosé, je ressentis un mal hallucinant qui me broyait le thorax et me déchirait le cœur. L'attaque, l'angine de poitrine, l'infarctus me terrassait! En sueur, livide, la bouche écumante, je me noyais dans ma salive en cherchant des mots d'amour pour celle qui me soulevait sur ses épaules et me descendait, illico, vers la vallée, la voiture et l'inévitable hôpital... à condition seulement que le destin le veuille bien!

Et il voulut bien, le coquin. Mais je dus souffrir, pendant les quelques heures que dura ma douleur, autant que ce que j'avais enduré pendant toutes mes maladies réunies. *What a pain!* aurait dit mon oncle Bertrand immigré aux Etats-Unis depuis trente ans. Je perdis conscience une bonne dizaine de fois sur le chemin du retour, l'affreuse douleur me réveillant un nombre équivalent de fois (avis aux maniaques des mathématiques : un mec qui se meurt d'infarctus n'a pas le temps de se laisser aller aux décomptes exacts). Comment ma femme réussit-elle à me transporter sur son dos pendant trois kilomètres? Nul ne le sut jamais. Mais moi, je me doute bien que rien d'autre que l'amour ne la motivait... aurait-il pu en être autrement?

Profitant d'un épisode d'inconscience, je rêvai qu'un éléphant faisait le beau sur ma poitrine en se tenant sur une patte et tournoyait sur lui-même. Un peu plus tard, je m'imaginai être torturé par des sadiques qui me soudaient la cage thoracique à une voie ferrée et faisaient passer une locomotive dessus. C'est alors que je compris la raison des sudations profuses qui noient toujours les malheureuses victimes des infarctus du myocarde! Tout est dans la tête et dans l'imaginaire, n'est-ce pas?

Ma douce parvint à gagner notre automobile sans défaillir. Lorsque je l'entendis hurler *La Marseillaise*, je sus qu'elle avait réussi l'impossible! Je ne savais pas que j'avais épousé Edith Piaf. Ragaillardi par sa belle humeur, je pus ramper sur la banquette arrière en m'agrippant à l'air ambiant et je la remerciai avec une esquisse de sourire du genre «Monna Lisa se mourant d'un chancre mou». Habile, elle démarra le moteur; forte, elle écrasa la pédale d'accélération; précise, elle me conduisit à l'hôpital. Encore!

L'infarctus, à cinquante ans, ça ne pardonne pas. J'eus droit à tous les honneurs de la guerre, avec en prime la croix de fer et la médaille du soldat inconnu. Une guerre, d'ailleurs, que je crus perdre quand on m'apprit, après huit jours de soins intensifs, qu'un énorme anévrysme s'était formé au cœur de mon ventricule gauche et qu'il battait, débile, empêchant le reste de l'organe vivant de se mouvoir convenablement et de faire son travail de pompe avec efficacité. Le médecin qui me soignait fut toutefois un brin plus courtois que l'interne acnéique qui diagnostiqua mon pneumothorax. Il me parla longuement de la vie et de la beauté de l'existence. Il me dit qu'il fallait un jour ou l'autre se résigner au décès. Il me rappela qu'il fallait laisser de la place aux autres, la terre étant surpeuplée à cause de Jean-Paul (son beau-frère gynécologue) qui ne voulait rien savoir des stérilets. Il ajouta quelques mots au sujet de la régulation des naissances qui s'amorçait difficilement en Inde et finit par me dire que de toute manière, j'avais réussi à me rendre à cinquante ans, ce qui n'était pas mal après tout, et que je n'aurais plus jamais à endurer de telles souffrances puisque ma vie s'achevait presque en beauté; qu'un anévrysme valait mieux qu'un sale cancer, *et cetera, et cetera, et cetera*. Un long moment, il tint ma main dans la sienne, des larmes plein le nez, le mouchoir plein à souhait et le panier plein à ras bord. Il voulut m'embrasser dans un accès de compassion (ce que je refusai, gardant quand même un soupçon de dignité) et il m'avoua qu'il aurait donné sa vie pour la mienne s'il avait pu (peut-être un peu menteur, le doc?). Sa gentillesse me réconforta tout de même, car aussi bien préparé à la mort, je décidai de survivre (ainsi fonctionne le paradoxal esprit humain).

J'avais un cousin anglophone, «Norman» de son prénom, journaliste et écrivain, qui avait souffert d'une terrible maladie lui aussi, et qu'on avait taxé d'incurable et d'inopérable. Pourtant, il s'était mis dans la tête qu'il guérirait... en riant! Et il s'était inventé toute une thérapie à base de vitamine C, de farces et de drôleries. Il s'était dilaté tant et si bien la rate, et les fesses, et le crâne et les épididymes, et la vésicule, et les oreilles, et la luette, qu'il avait fini par guérir, à la grande stupéfaction de tout le monde médical. Comme j'avais participé quelque peu à sa guérison en lui fournissant gratuitement, pendant six mois, les deux caisses de jus d'orange en poudre qu'il ingurgitait chaque jour, en lui faisant des grimaces et en lui montrant mes fesses, je décidai de suivre son exemple. Je me nourrirais de vitamine C et je me ferais rire.

Trop faible pour me chatouiller moi-même et trop pudibond pour me montrer mes propres fesses, d'autant plus que le miroir de ma chambre était trop petit, je demandai à ma femme si elle n'aurait pas quelques plaisanteries dans son sac à souvenirs. Et elle me fit rire, comme un fou, tout en m'injectant de la vitamine C directement dans les jugulaires, en me racontant des anecdotes sucrées tirées de ses années de pensionnat. Elle me confia même ses propres incartades sexuelles, dont une nuit orgiaque avec le cousin Norman, qui l'avait séduite en lui racontant des blagues. Ces révélations tardives auraient dû me faire pleurer mais elle me narrait ses infidélités avec tellement de cœur que je ne pouvais qu'en rire. Peut-être aussi se culpabilisait-elle de ses erreurs, voyant son brave mari si près de la mort, et voulait-elle se faire pardonner? Car, dans un ultime élan de miséricorde, elle me montra ses fesses, qu'elle avait encore fort belles, et pas poilues pour cinq sous. Elle me dansa ensuite une rumba japonaise, me chanta une complainte arménienne et me caressa l'entre-cuisse, ce qui avait toujours eu le don de me charmer.

Et je guéris. Comment? Par le miracle de l'amour et du rire, voyons donc! (Quant à la vitamine C, on s'en fout!) La science, toujours inquiète de la magie de l'art, s'aperçut avec effroi que mon anévrysme diminuait tout seul. Le corps médical constata que mon corps reprenait des forces.

Quelques mois plus tard, de retour à la maison, j'eus assez de vitalité pour imaginer la plus belle volée possible à mon infidèle de femme. Ma fierté de mari se devait d'être vengée. Mais quand mon épouse évoqua mes propres erreurs passées, j'arrêtai net d'imaginer que je la frappais avec mon égoïne. (Je blague, bien entendu. Vous savez bien que je ne l'aurais jamais battue... avec une égoïne.) Forte du renouveau féministe, elle voulut me donner un seul petit coup de marteau sur le crâne... juste pour rire... et me faire réfléchir aux méfaits du machisme universel. Mais elle aussi se retint, dans un gracieux accès de bonté dont je lui sais toujours gré.

Ainsi va la vie. J'avais encore échappé à mon destin mais la mort m'avait cette fois frôlé de très près; ce que je n'ai pas osé dire, c'est qu'au deuxième jour de mon infarctus, mes ventricules s'étaient mis à fibriller, en chœur, comme ça, sans raison apparente. La belle de garde, une douce jeune fille aux yeux ensoleillés, au teint de pêche et au buste généreux, débordante de rondeurs rosées, avait dû me choquer deux ou trois fois avec toute la puissance d'une machine heureusement proche, électrisant mon corps mort d'une décharge qui trépidait dans les quatre cents joules. Je dois dire que la belle m'avait déjà électrisé à plusieurs reprises lorsqu'elle faisait ma toilette matinale, mais jamais aussi violemment.

Ce qui pourrait être d'un certain intérêt pour le commun des mortels qui n'ont pas encore touché aux jouissances de l'immortalité, c'est que je me souviens des quelques secondes que dura ma mort, parce que je fus mort entre le début de la fibrillation ventriculaire et la décharge de la douce garde. Je fis un voyage extraordinaire, dont je ne me rappelle malheureusement que quelques bribes. J'ai un peu la frousse de vous le raconter parce qu'on m'a promis, là-haut, de me faire subir les dix travaux d'Hercule, en plus difficile, si je disais quoi que ce soit. Ceci vous donne l'explication rationnelle du mutisme complet que les ressuscités de la médecine moderne conservent au sujet de ce qu'ils ont expérimenté durant leur bref séjour chez les morts. Mais comme je suis ému par votre lecture attentive, que je vous aime et vous trouve attendrissants de résister au sommeil, je vais quand même, dans une poussée de naïve magnanimité, vous en relater quelques détails. Et que le grand crique me croque *subito presto* si je dévoile certains secrets que nul humanoïde vivant ne devrait connaître.

Il était une fois un cœur qui cessa de battre. Immédiatement, la vue du mortel à qui il appartenait s'assombrit; apparut un voile rouge, rapidement suivi d'un voile noir (le même qu'expérimente l'aviateur qui rate un tonneau). Il entendit alors une musique, douce comme celle de l'eau qui frémit dans la douche le matin, harmonieuse comme le chant des Walkyries. Il avait parfaitement connaissance de sa mort mais, curieusement, il n'en gardait aucune animosité. Au contraire, il vivait le premier vrai moment de non-angoisse de toute sa vie... si on peut s'exprimer ainsi. Il flottait dans l'éther, béatement, goûtant aux joies de l'anesthésie cosmogonique transcendantale. Il naviguait, à mille fois la vitesse de la lumière, vers le Big Bang originel. Cela le faisait sourire parce que cette expression, «Big Bang», lui rappelait sa première relation sexuelle. Il était bien, extrêmement bien, communiquant dans une mythique béatitude avec toutes les forces universelles réunies.

Soudain, il entendit une voix (probablement le musicien qui actionnait la douche) déchirant les ténèbres :

— Bienvenue chez toi! Mais tu n'es pas encore prêt à faire le grand saut. Réintègre ton corps et souffre encore un peu!

— Merde! eut alors envie de s'écrier le mort. Moi qui jouissait vraiment pour une fois. Je ne veux pas...

— Astine pas, le smat, ou je te fais goûter à mon gâteau d'absolu!

Obtempérant sagement à l'ordre céleste, il se vit alors, couché dans son lit, les yeux fermés, tout son corps crispé dans une formidable convulsion. La belle aux charmes provocants venait de lui appliquer l'ultime décharge électrique. Et il se réveilla, à nouveau confronté aux turpitudes de la vie terrestre, avant la mort.

Tout ceci a dû paraître anodin aux maniaques de science-fiction et de romans fantastiques, j'en suis certain.

Tant pis! Mais je vous affirme que ma version, bien que tronquée, est la seule véridique et qu'elle possède l'insigne intérêt d'avoir été vraiment vécue. Les autres, provenant de tout le charabia de la littérature et de l'imaginaire dantesque que les auteurs en mal d'infini ont tenté d'inventer, ne sont que pures créations de l'esprit. J'ose croire que quelques bonnes âmes sauront apprécier l'exceptionnelle teneur du matériel didactique livré ici!

Je suis tellement bien couché, tellement confortable. Et pourtant... je ressens tout de même une certaine angoisse, née d'un je ne sais quoi d'inquiétant. La vieillesse peut-être, ou ces souvenirs plus risibles et plus souffrants les uns que les autres? À force de tâter du décubitus, j'en ai quelques crampes, quelques picotements. Peut-être de petites escarres se forment-elles sur mes talons, mes mollets, ou mes fesses, comme celles, affreuses, que je dus contempler quand on me garda au foyer. J'ai un peu peur de ressembler un jour à ces vieillards loqueteux qu'on promenait, sans ménagement, de leur lit à leur fauteuil, et qui, titubant d'imbécillité, bavant de faiblesse, urinaient dans leur couche pour se réchauffer. Il y a un malaise qui embourbe mon atmosphère et le rend orageux. J'ai maintenant des bouffées d'inquiétude...

Ma femme était morte depuis six mois quand on m'emmena de force au foyer du village. Comme je n'avais pas cessé d'être malade et que le rire était devenu la seule thaumaturgie qui puisse me faire quelque bien, elle avait dû me montrer ses fesses en permanence. Elle en avait inévitablement attrapé son coup de mort une nuit d'automne où le thermomètre était descendu de quarante degrés d'une claque. Pauvre petite vieille, morte d'avoir trop aimé. Je l'avais enterrée dans le jardin, derrière la maison; je lui avais chanté tout bas une oraison funèbre et pleuré assez de larmes pour arroser le jardin au complet plus le champ d'à côté. Puis, je m'étais enfermé pour l'hiver, n'acceptant de recevoir personne. J'avais engagé le voisin pour qu'il m'apporte de la nourriture chaque semaine... et les mois avaient passé. Emmitouflé de solitude, je m'étais emprisonné dans ma maison, laissant la neige recouvrir le paysage et les jours heureux. Au printemps, lorsque je voulus rouvrir les fenêtres pour laisser entrer quelques frêles rayons de soleil, une meute de voisins enragés s'objecta et porta plainte à la municipalité.

— Ça pue! invoquèrent-ils. Le vieux fou ne s'est pas lavé depuis la mort de sa vieille. Il faut brûler ce nique à rats!

Et la bonne dame du service social vint me chercher par la peau du cou, qui pendait passablement il faut dire, pour me traîner jusqu'au centre d'accueil. Je ne lui offris pas grand-résistance parce que je pesais quarante kilos, j'étais complètement aveugle (mon œil valide ayant manqué de vitamine A, semble-t-il), paralysé de la main droite et boiteux (ça, on le saura!).

Au foyer, on me décrotta, me frotta et me nourrit. Il leur fallut trois mois pour me reniper; tout un ménage du printemps! Une fois convenablement engraissé et revi-

43

talisé, je pus visiter le plus épouvantable zoo humain qui ait jamais existé. Cent locataires peuplaient cette terre d'asile pour moribonds et autres légumineuses. Cent faces ternies par les trop nombreux dégels, aux yeux vitreux de poupées, aux cheveux rares et aux gencives indurées d'avoir manqué de dents trop longtemps. Parmi ces pensionnaires, il n'y en avait que deux à pouvoir exprimer autre chose que des grognements ou des cris lancinants : Maryvonne et moi.

Je découvris Maryvonne plusieurs mois après mon arrivée. Les quantités astronomiques de vitamine qu'on m'administra finirent par me redonner assez de vue pour que mon œil gauche la voie, un beau matin, assise dans son fauteuil roulant, tout au fond de la salle commune, appuyée contre le rebord de la fenêtre. Qu'elle était belle, malgré ses quatre-vingt-trois ans et ses deux jambes en moins. Elle avait un sourire vaguement angélique qui me rappelait ma femme. Les yeux brûlés par les larmes du bonheur, je m'approchai délicatement. Elle me faisait tellement penser à ma femme que ma première idée fut de lui demander de me montrer ses fesses. Mais je me retins, ne voulant pas lui faire subir un mortel refroidissement. Je touchai sa main, toute sèche, et pourtant j'y sentis une fraîche nervosité courant le long de ses veines. Sursautant, elle leva les yeux vers moi, des quenœils encore pleins d'éclairs et de frétillements, et elle me dit :

— Bonjour. Vous vendez du popcorn? Les vidangeurs doivent passer vers cinq heures!

Je me retirai dans ma chambre, boitant encore plus péniblement que d'habitude, et je pleurai trois jours et trois nuits.

Peu de temps après, n'ayant pu trouver de corde pour me pendre, je décidai que je n'étais pas à ma place dans ce foyer. Une nuit, j'écrivis un petit mot aux gens du personnel pour les remercier de leurs bons soins, et ajoutai, en post-scriptum, que je souhaitais ne pas leur avoir transmis trop de poux. J'espère qu'ils ont ri. Je mis quelques affaires dans un sac de plastique : ma brosse à dents, inutilisée depuis vingt ans, mon costume de bain, en souvenir des beaux jours, et un condom rouillé, pour ne jamais oublier mes antiques possibilités. Et je m'enfuis. Je marchai longtemps, jusqu'à la rivière qui borde le village, pour ensuite traverser le pont couvert et me réfugier dans une cabane à sucre isolée, que je savais désaffectée. J'y trouvai une couverture de laine rouge et bleue, comme celle avec laquelle ma mère m'abriait quand j'étais petit, et je m'étendis sur un lit de planches dans un coin. Pour mourir. Pour en finir avec ce monde qui ne me faisait plus rire. J'étais plus démodé qu'un vieux tacot, plus ratatiné qu'une guenille de grand ménage, plus froissé qu'une feuille morte. Assez! Assez, c'était assez! Je laissai le froid venir me mordiller le bout des orteils, j'entendis le vent jouer du banjo dans la soupente, je vis courir pour la dernière fois un petit mulot, tout fier, qui me sentit et passa son chemin. Et je mourus.

Je suis mort depuis trois jours. Je suis mort, mort, mort! Des enfants qui jouaient à la cachette m'ont retrouvé, *frette* comme une boule de neige. On m'a transporté chez le croque-mort, on m'a placé dans une bière usagée et on m'a inhumé. Inhumain? penseront sûrement quelques cyniques.

Et je ne suis plus bien du tout, étendu dans mon cercueil capitonné, couché sur ce dos qui me fait mal, avec les mains jointes dans une prière qui ne sert probablement à rien, cet appel désespéré à tous ceux et celles qui pourraient me sortir de ce merdier. Je ne suis plus bien, même si je l'ai été l'espace de quelques souvenirs, pourtant tous aussi souffrants les uns que les autres. J'ai peur, j'ai horriblement peur, d'une angoisse affreuse qu'aucun mot, qu'aucun cri ne pourrait exprimer. J'ai peur, et j'ai mal, dans le tréfonds de mes entrailles, dans ces viscères qui glougloutaient encore il y a quelques jours. Je crève de peur, devant cet infini et ce néant qui ne s'en vient pas.

Je suis mort, irrémédiablement. Le sang stagne dans mes artères obstruées. Il n'y a plus d'air dans mes alvéoles. Mais je pense, donc je suis! Fadaises, toutes ces tergiversations de l'esprit qui pense. Rien ne compte plus, parce que je suis mort et angoissé plus que jamais.

Pourtant, si je me fie à ma brève expérience de la mort, je ne devrais pas. J'ai pourtant bien vécu la vraie paix, celle qui annule l'angoisse. Qu'est-ce qui se passe? Rien ne va plus? Où est donc cette paix de l'âme? Pourquoi est-ce que je pense encore pendant que mon corps se décompose à toute vitesse, que déjà les vermisseaux s'affairent à leur travail écologique en vidant mes orbites et en bouffant mes intestins?

Je ne suis pas bien dans une tombe, prisonnier de l'inconnu. Je n'aurais jamais dû m'enfuir du centre d'accueil. J'aurais dû accepter de pourrir à petit feu, comme tous les autres, et me laisser ravager tranquillement par la vieillesse. J'aimais mieux mes maladies et mes souffrances, même les plus atroces. J'aimais mieux Maryvonne, avec ses veines nerveuses, même si elle alzheimait au cinquième degré. Elle avait au moins des yeux qui brillaient. Moi, je n'ai plus rien de tout cela. Je ne suis plus qu'un potentiel de peau trouée, d'os blanchis et de poussière grisâtre.

Je hurle mon angoisse, en silence, à la face de tous les vivants qui deviendront ce que je suis, très bientôt, inexorablement.

J'aimais mieux botter le derrière des imbéciles et me bâtir des oignons tangibles, exécrables peut-être mais qui ne me bouleversaient pas d'angoisse. J'aimais mieux la substance putride de mon tibia amoché, et les élancements nocturnes qui brouillaient mes pensées. J'aimais mieux les délices de la pizza aux anchois et la péritonite aiguë. J'aimais mieux les pneumonies d'amour et les crachats verts d'espérance en la guérison qui viendrait, inéluctablement, parce que le glas n'avait pas encore sonné. J'aimais mieux, j'aimais mieux. C'est tout ce que je trouve à dire en ce moment. Je suis devenu fou, anxieux jusqu'à la moelle, fiévreux face à l'au-delà qui semble inquiet de m'accepter et qui me laisse ainsi, tout seul, entre l'infiniment grand de l'espace et l'infiniment minuscule de mon cercueil.

Je veux retourner à mes anciennes amours, à ce que j'ai connu, même si j'étais constamment malade. Je veux être malade, souffrir comme un dingue, et me thromboser le cœur tous les jours s'il le faut; parce que je veux me sentir vivre, et palpiter; je veux vibrer de l'air qui pénètre par petites bouffées dans mes poumons. Je veux revivre, même en cloporte, les ailes repliées mais prêt à bondir et à rire des premières fesses venues. Mon malheur vient de ce que je ne pourrai plus rire, jamais plus, parce que plus rien ne me rappellera ma propre déchéance. Quand ma femme me faisait rire, elle se transmuait en moi-même, avec mes défauts et mes lubies, et c'était cela que je trouvais drôle. Mais maintenant, plus rien n'est drôle. Tout est d'un macabre absurde, désespérant, abrutissant.

Se regarder pourrir, enseveli sous la terre humide, quoi de plus cynique!

Vivement que j'entende cette voix de musicien et que j'oublie tout, ma vie, mes jérémiades et mes angoisses. Vivement. Sinon... Sinon quoi? Je n'ai même plus la possibilité suprême de me suicider!

Qu'elle m'appelle donc, cette voix à laquelle j'ai déjà cru, qui m'avait enlevé toute ma peur du cosmos géant qui doit s'emparer de moi.

Toi, là-bas, tout à côté de Bételgeuse, tends-moi donc la main! Viens me libérer de ce que j'ai pu inventer de plus horrible, ma mort! Dis-moi que je n'ai fait qu'un mauvais rêve et que tout recommence, comme avant, avec les tisanes de maman, et les effluves de sapin, et les belles filles, et les montagnes fleuries. Ne me laisse pas tout seul. Raconte-moi que ma femme est tout près, qu'elle m'entend et s'en vient me rejoindre. Je ne veux pas subir ce tourment de l'inconnu en solitaire, avec ce mal de dos lancinant qui m'éclate les vertèbres. Je ne veux pas être mort, entends-tu?

Je ne ris plus. Il n'y a plus rien pour me faire rire. Plus de calembours faciles, plus de fesses grossières, plus de situations abracadabrantes. J'ai de morbides flambées d'angoisse qui hantent ma tête et me broient les méninges... et je n'y peux rien. Je voudrais arracher le couvercle de ce cercueil inconvenant, je voudrais sentir la terre couler sur mon visage, comme un mort-vivant dans un cimetière, et faire peur à tous les rescapés de l'existence, pour qu'ils partagent avec moi cette angoisse qui me fait suffoquer.

Qu'ai-je fait de travers pour ne pas mourir simplement comme tout le monde? À moins que personne ne meure simplement?

Je dois me calmer. Attendre patiemment que ta voix m'appelle. Je ne veux pas être une simple poussière cosmique, née de rien et vouée au néant. Je veux être un oignon, une fracture, une pneumonie. Je veux ressentir à nouveau le vent, même la pluie, et me plaindre du temps qu'il fait.

Et je veux voyager en paix, vers Alpha du Centaure et les autres constellations, à travers l'espace et le temps, en me rappelant dans un grand rire que j'ai souffert, un jour, avec d'autres comme moi, tellement comme moi, qu'il est impossible que je sois seul pour ce voyage qui semble vouloir durer l'éternité.

Sylvie Moisan

Le rayon des femmes

Sylvie Moisan

Sylvie Moisan a trente-deux ans et en est très heureuse: c'est toujours ça de volé au Néant. C'est dans ce même esprit qu'elle vient de terminer son premier roman, écrit à partir de rien, évidemment. Comme elle a récemment renoncé à trouver un sens à l'existence, elle a beaucoup de temps libres. N'ayant pas d'ambition, elle les occupe à lire, à écrire, à étudier et à rigoler avec ses amis. Elle ne sait ni compter, ni patiner, ni cuisiner et les enfants la fatiguent. Aussi a-t-elle décidé de devenir écrivaine.

Sylvie Moisan déteste le hockey; mais elle adore la bière et les petits chats.

Publications dans:

L'écrit primal #1, 3
La Gagazette # 1,2, 3, 4
La vie en rose # 27

Le rayon des femmes

De même que la nature doit être soumise à l'homme pour devenir marchandise, ainsi y aura-t-il "un devenir une femme normale". Ce qui revient pour le féminin, à une subordination aux formes et aux lois de l'activité masculine.

Luce IRIGARAY, «Le marché des femmes»
dans *Ce sexe qui n'en est pas un.*

Je me suis achetée dans un grand magasin à rayons. Le choix ne fut guère difficile. Guidée par les impératifs de mes maigres ressources, j'ai évité les nombreuses tablettes où étaient disposés les modèles les plus sophistiqués — que je savais n'être pas pour moi — et je me suis tout de suite dirigée vers le bout de l'allée, là où étaient jetés, pêle-mêle dans un grand panier, quelques échantillons de la version la plus rudimentaire du produit, enveloppés dans de petits sachets de plastique transparent. L'écriteau flamboyant accroché au-dessus du panier indiquait «soldées pour écoulement». Je lus attentivement le mode d'emploi sur l'emballage; il suffisait d'y insuffler de l'air pour que l'objet recouvre sa forme et devienne ainsi utilisable. Afin de choisir, parmi les quatre ou cinq modèles annoncés, celui qui me conviendrait le mieux, je décidai de les sortir de leur sachet de plastique.

La première était une *médium,* brune et replète me semblait-il, bien qu'il fût difficile d'en évaluer la forme étant donné qu'elle n'était pas gonflée. La seconde, une *small,* blonde et bouclée, était vraisemblablement du genre filiforme, ce qui n'était pas pour me déplaire. La suivante avait le double désavantage d'être rousse et, à mon goût, trop largement pourvue de l'arrière-train. Enfin la dernière, d'un noir bleuté, avait des seins énormes et des cheveux abondants et crépus. Je l'écartai tout de suite, bien qu'elle fût d'un prix moins élevé, car elle ne me semblait pas très pratique. J'avais besoin d'un modèle pouvant s'agencer facilement. Avant de faire un choix définitif, et tout en y réfléchissant, j'essayai de remettre dans leur enveloppe chacune des candidates. L'entreprise s'avéra nettement au-dessus de mes capacités. J'eus beau les froisser, plier, replier, les aplatir à coups de poing afin qu'elles reprennent leur forme antérieure, une fois sorties de leur sachet, manifestement elles ne voulaient pas y rentrer à nouveau. Heureusement pour moi, un vendeur

vint à ma rescousse. Faisant preuve d'habilité et d'efficacité, il les remit prestement à leur place. Il a l'habitude,
songeai-je, pour justifier mon incompétence.

Après quelques hésitations, j'avais finalement opté
pour la blonde. Selon le vendeur, c'était un bon modèle,
toujours populaire et qui ne se démodait pas. J'allais me
diriger vers la caisse, satisfaite, lorsqu'il me rappela qu'il
était préférable de vérifier le fonctionnement de ma
future acquisition.

— Elle est soldée, vous ne pourriez pas l'échanger
si elle avait un défaut.

Il me la prit des mains et, après s'être dirigé vers
l'arrière du magasin, il la brancha sur un long tube par
lequel, à l'aide d'une pompe, il se mit à lui insuffler de
l'air au-dedans. Tout de suite elle se redressa, déployant
lentement ses formes plantureuses à mesure qu'il pom-
pait. De la voir prendre vie, comme ça devant moi,
m'émouvait, et je me surpris à lui chercher des ressem-
blances, quelques particularités qui auraient fait que je la
reconnusse comme mienne, que je pusse m'identifier à
elle. Quand elle eut enfin atteint sa taille normale, il lui
mit un bouchon. C'est alors qu'un léger sifflement se fit
entendre. Elle commença soudain à perdre du volume, se
plissant, se recroquevillant, se tordant puis, complètement
ratatinée, dans un ultime spasme elle s'affaissa, déposant
aux pieds du vendeur médusé un petit tas grotesque de
matière inerte. «Ah non, me dit-il, excédé, elle n'est plus
bonne. Je ne peux pas vous la vendre. Elle est percée.»

— Je sais bien qu'elle est percée, c'est normal!
C'est quoi le problème?

— Le problème, c'est qu'elle ne vaut plus rien : elle
a un trou de trop. Elle se dégonfle!

Moi, telle quelle, elle me plaisait et je m'en serais
bien contentée, mais il s'avéra que l'orifice superfétatoire
dont elle était pourvue lui enlevait tout son prix. J'envi-
sageai d'en prendre une autre du même modèle, malheureusement celle-ci était le dernier exemplaire. «Bien sûr,
j'en ai d'autres sortes, me dit-il en me désignant l'allée,
des plus perfectionnées, mais ça, c'est ce qui se fait de
moins cher.»

— C'est que je n'ai pas beaucoup d'argent.

— Pourquoi ne prenez-vous pas une petite brune,
elle fera tout aussi bien l'affaire. De toute façon...

Va pour la petite brune; après tout elle n'était pas si
mal, et puis l'important c'était de ne pas repartir les mains
vides. Il y avait si longtemps que je me cherchais, je
n'allais pas rentrer, encore une fois, sans moi à la maison.

Après les vérifications d'usage, la petite brune se
révéla en tous points conforme aux normes de sa fabrication. Avec elle, pas de surprise possible : elle ne se
dégonflerait pas. Soulagée, je suis rentrée chez moi pour
m'installer dans mes meubles. Dès mon arrivée je
constatai, ravie, que j'allais très bien avec le mobilier du
salon. Si dans la cuisine je détonnais quelque peu, j'étais
par contre du plus bel effet dans la chambre à coucher,
étendue sur le lit de tout mon long, couchée sur le dos. Au

début, je me suis regardée vivre attentivement avec une curiosité teintée de sollicitude. La plupart du temps, j'étais dégonflée et toute mon existence était d'un calme plat. Mais périodiquement on me regonflait et alors je m'éveillais à l'agréable sensation d'exister. C'était d'abord un souffle chaud qui m'envahissait lentement, créant en moi une douce impression de chaleur interne. Petit à petit, j'atteignais ma taille normale et je goûtais au plaisir d'occuper enfin tout l'espace désiré. Puis je me sentais agitée, secouée, ballottée, étape qui ne durait généralement que quelques secondes et qui me laissait toujours ruisselante. Tout de suite après, on me dégonflait, et ma vie redevenait aussi plate qu'avant. Je n'avais plus qu'à attendre le prochain épisode.

Après plusieurs semaines de ce petit manège, je me suis retrouvée complètement désabusée. Je passais le plus clair de mon temps à broyer du noir, aplatie au fond d'un tiroir, attendant que le souffle chaud me libère. C'étaient d'ailleurs les seuls moments agréables de mon existence car les quelques secousses qui s'ensuivaient, parce qu'elles étaient le signal de ma mise au rancart prochaine, provoquaient toujours en moi une vague d'appréhension. Par conséquent, il arriva que même les moments où j'étais gonflée m'apparurent dépourvus d'attrait. J'en vins très vite à la conclusion que la place que j'occupais dans ma vie était nettement insuffisante. Je subissais à nouveau, résignée, les assauts du vide. Lorsque mon homme, lassé de mes récriminations, m'eût quittée, les choses empirèrent:

voilà que je n'avais plus personne pour me remplir d'air.
C'est alors que s'insinua en moi l'idée que je m'étais fait
avoir. Car enfin le vendeur, comme argument de vente,
avait insisté surtout sur ma valeur en tant que réceptacle.
Réceptacle de quoi? J'étais désormais seule dans la vie!
J'étais donc devenue parfaitement inutile. La chose étant
ce qu'elle était, il n'y avait plus qu'une solution : puisque
je n'étais pas l'article qu'il me fallait, j'allais me retourner
au magasin.

Cette expérience décevante m'avait convaincue de
me procurer un modèle plus perfectionné. Comme je
n'avais guère d'argent, je décidai de m'acheter à crédit.
Après de vaines discussions avec le gérant je dus me
résoudre à me garder car, ayant été soldée, je n'étais pas
remboursable. Il accepta par contre que j'effectue mon
nouvel achat à crédit.

Je parcourus le rayon, fascinée par les multiples
possibilités qui s'offraient à moi. Il y en avait de toute
sorte : des longues, des courtes, des grosses, des petites,
des blondes et des rousses, des pâles et des foncées.
Toutes assurément n'avaient pas la même valeur. Certaines étaient de modèle plus ancien, au fonctionnement
simple; d'autres, résolument modernes, étaient d'un usage compliqué, complexe même, et leur mode d'emploi
requérait un long apprentissage, de la patience, du doigté,
pour en tirer le maximum de profit sans risque. De celles
au bout de la rangée, on vantait les nombreuses utilités.
Polyvalentes et valeureuses, elles pouvaient accomplir à la

fois les tâches les plus diverses, allant de l'entretien au maternage. Celles-là, vous en achetiez une, semble-t-il, et votre pérennité se trouvait assurée, car elles possédaient un système perfectionné les rendant aptes à vous reproduire. Le principal inconvénient résidait dans leur coût élevé, non pas tant à l'achat qu'à l'entretien. Elles représentaient en fait un investissement à long terme.

En plein centre, à hauteur d'homme, se trouvait un superbe modèle dont les fonctions étaient tout autres. De fabrication différente, elles coûtaient plus cher à l'achat; leur utilisation était par ailleurs dangereuse car, peu enclines à la permanence, elles provoquaient souvent un usage abusif et, par un curieux effet de réciprocité dont le mécanisme était encore mal défini, elles risquaient d'abîmer sérieusement leur utilisateur. Elles comportaient par contre l'avantage d'être facilement escamotables. Celles-là me tentaient assez, bien qu'elles me fassent un peu peur: je craignais de ne pas savoir m'en servir.

Sur les tablettes d'en-bas, près du sol, se trouvaient également toute une ribambelle de produits bon marché, de valeur moindre, mais qui possédaient néanmoins quelques-uns des attributs parmi les plus indipensables de la marchandise, ce qui suffisait amplement à créer la demande.

— Elles ne sont pas à vendre celles-là, me lança le vendeur en passant près de moi, alors que je contemplais, perplexe, l'étalage. On les loue seulement. Ça revient plus cher à la longue, mais ça permet d'en changer plus souvent.

Ah non, songeai-je, je n'allais pas passer ma vie à me changer! J'avais déjà suffisamment perdu de temps comme ça. Une fois que je m'aurais trouvée, j'avais bien l'intention de me garder, pour toujours.

Je repris donc mes recherches, à l'affût de ce petit détail qui, me révélant à moi-même, saurait m'aider à arrêter mon choix. L'étalage était savamment élaboré pour orienter la sélection du consommateur en fonction de ses besoins, de ses désirs et de l'usage qu'il comptait faire de la marchandise. Soudain, je m'aperçus. Posée sur la tablette du centre, j'étais moins en vue que celles de la tablette du haut, certainement, mais aussi moins exposée à la saleté que celles de la tablette du bas, près du sol. Voilà l'article, pensai-je, en tendant la main vers moi. Malgré mon émotion, j'entrepris de m'examiner attentivement. De taille moyenne, je n'étais ni vraiment belle ni tout à fait laide. J'avais une physionomie empreinte de quiétude et toute ma personne dégageait un rassurant mélange de force et de délicatesse. Rien de dangereux dans mon physique, pas la moindre trace d'agitation dans mon attitude, pas l'ombre d'une question dans le regard; en fait, je semblais correspondre parfaitement à l'image de la femme idéale. Enfin je m'étais trouvée!

J'aurais dû repartir avec moi sans inquiétude. Mon choix s'était en quelque sorte imposé de lui-même. Mais, était-ce le fait de mon inexpérience, de ma pusillanimité, ou cela tenait-il à une mauvaise identification de mes besoins, à une orientation trop floue de mes désirs? Quoi qu'il en soit le doute, l'incertitude s'emparèrent à nouveau de moi.

Je m'étais pourtant tout de suite prise en main, résolument. Et voilà que je me contemplais, perplexe, ne sachant plus très bien quoi faire de moi. Car c'était ça l'embêtant : j'avais beau réfléchir, je n'arrivais pas très bien à définir à quel usage je pourrais servir. En cherchant la révélation d'une nature par ailleurs hypothétique ou celle d'une utilité en quelque sorte intrinsèque et pour tenter d'évaluer ce que je pouvais valoir, je me suis retournée, inclinée, secouée. J'ai levé mes bras, baissé ma tête, fermé mes yeux. J'ai même retroussé ma jupe : dessous il n'y avait rien à voir, rien que je puisse reconnaître. Alors, face à la menace d'avoir à renoncer à moi-même, je consultai, en désespoir de cause, l'affiche aux couleurs bigarrées qui, au bout du rayon, énumérait les différentes qualités et usages des produits offerts. Elle était longue à parcourir et difficile à déchiffrer à cause des nombreux signes qui s'y enchevêtraient et qui m'étaient inconnus; je n'aurais certes pas été capable d'en comprendre seule le sens. Mais, grâce à Dieu survint le vendeur qui, plein d'intérêt pour moi, me facilita encore une fois la tâche.

— Avec celle-là, on ne peut pas se tromper. C'est un classique. Un vieux modèle qui, chaque année, est remis au goût du jour. C'est fait pour durer...

Il me convainquit rapidement que j'avais fait le bon

choix. À vrai dire ce n'était guère difficile car j'avais besoin de quelqu'un, de moi surtout.

Je repartis chez moi, mes paquets sous le bras. En arrivant à la maison, je m'empressai de déballer fébrilement ma nouvelle acquisition : j'étais parfaite. Dans ce décor je trouvais partout ma juste place, occupant immédiatement l'espace comme si j'y avais habité de toute éternité. Déjà le lendemain de mon arrivée, un ordre parfait régnait dans toutes les pièces. Le frigidaire était toujours plein, les repas prêts à temps et excellents. Jamais les comptes n'étaient payés en retard. Je faisais le lavage, le repassage, je passais l'aspirateur et nettoyais même le four. Chacun des petits détails de ma vie était réglé avec minutie. Pas de place pour l'imprévu ou le risque : tout était planifié, organisé, rangé. J'avais même au bout de quelques mois des économies pour les achats des fêtes et pour mes vacances de l'été prochain.

Mon homme, pressentant les avantages de ma nouvelle acquisition, n'avait pas tardé à me revenir. Il était comblé. Tout de suite il convint avec moi de ma nette supériorité sur l'autre, ce premier achat si décevant. Avec son accord, je m'étais résolue à disposer de ma première version. J'avais d'abord tenté de la vendre, mais comme elle était usagée, elle n'avait plus guère de valeur marchande. Je l'avais finalement rangée sous mon lit, sagement pliée dans son sachet. J'étais double certes, mais le premier exemplaire prenait si peu de place face à l'autre que cela ne posait pas, de prime abord, de problèmes. Cachée sous mon lit , je me laissai oublier.

Mon homme m'entretenait royalement, ne lésinant pas sur la dépense. Après quelques semaines il m'équipa de tous les accessoires nécessaires à l'accroissement de mon efficacité, de façon à rentabiliser le temps investi dans nos fréquentations. Je fus dotée d'un malaxeur, d'un broyeur à ordures, d'une laveuse, d'une sécheuse et, comble de félicité, d'un four à micro-ondes, ce qui me permettait d'économiser son temps. Il poussa même la délicatesse jusqu'à m'offrir une télévision afin que les émissions de l'avant-midi, période creuse de mon activité, ne fussent pas diffusées inutilement. Toutes ces annexes étaient le complément indispensable à mon épanouisse-ment. Oui, il était décidément très chic avec moi. Il m'apprit à développer chacune des facettes de ma per-sonnalité. J'en vins rapidement à comprendre ce qui se passait en lui, même s'il ne me parlait pas, à deviner ce qu'il ressentait, rien qu'en l'observant. Je sus quand il me fallait parler, ce qu'il fallait que je dise, mais aussi, quand il était préférable que je me taise.

Après quelque temps de vie commune, un change-ment se produisit dans son attitude envers moi, que je ne remarquai pas tout de suite, trop occupée que j'étais par mes apprentissages. En effet mon homme, s'il continuait à faire de moi un usage satisfaisant dans bien des domaines, en vint peu à peu à abandonner ses pratiques nocturnes. Non pas que j'y trouvasse à première vue une raison de me plaindre. Cette sorte d'activité, entre toutes, me semblait des plus futiles, car je ne comprenais pas bien à quoi cela pouvait servir; mais je craignais que mon homme n'aille chercher ailleurs une satisfaction qu'il ne trouvait manifestement plus avec moi et à laquelle je savais qu'il ne renoncerait pas. Je ne pouvais courir le risque de le perdre à nouveau, au profit d'un modèle plus conforme à ses désirs. J'avais pourtant dans ce domaine suivi attentivement les instructions. Jamais je ne m'étais aventurée à contrecarrer ses directives, jamais non plus je ne lui avais opposé quelque refus qui eût pu le contrarier. Pourtant, cela ne paraissait pas suffisant pour le satisfaire, puisqu'il me dédaignait.

Un jour, je revins à la maison plus tôt que prévu car la réunion de *Tupperware™* où j'étais allée n'avait pas eu lieu. Tout de suite en rentrant, je pressentis qu'il se passait quelque chose d'anormal. J'ai toujours eu beaucoup d'intuition. La porte de notre chambre était fermée et j'y collai mon oreille afin d'identifier les bruits qui en provenaient. Je fus sidérée : les sons, les soupirs, les halètements que je percevais étaient bien ceux qu'émettait mon homme lors de ses pratiques nocturnes, même que, pour accélérer les choses, il m'arrivait souvent d'y participer à l'unisson. Or — et c'était bien ça l'inquiétant — nous étions avant souper, entre cinq et sept, et à cette heure-là mon homme n'était jamais à la maison. J'allais m'enfuir pour chercher du secours, lorsque soudain un léger sifflement retentit derrière la porte. J'avais déjà entendu ce son aigu quelque part : c'était le bruit que je faisais autrefois, lorsque je me dégonflais. La vérité m'apparut dans toute son horreur. Furieuse, j'ouvris la porte brusquement et fis de la lumière dans la pièce. C'était bien ça! Mon homme, à moitié nu, était en train de me plier pour me remettre dans mon enveloppe.

— Tu me trompes, espèce de salaud, et avec moi-même en plus!

Saisi par la brutalité de mon apostrophe, il me regarda, bouche bée, sans rien trouver à me dire.

— Euh... fit-il en refermant piteusement sa braguette.

— Me faire ça à moi. Moi qui t'ai toujours tout donné, qui ai toujours tout fait pour te plaire et tu me préfères celle-là, ce modèle bon marché. Quand je pense que je n'en voulais même pas, que je ne la trouvais pas assez bien pour toi... pour moi, je veux dire. J'sais plus. Et dire que je n'ai même pas fini de me payer! m'exclamai-je en fondant en larmes.

Alors il s'approcha de moi avec douceur, pour me consoler, tout en me remettant furtivement dans mon sachet.

— Écoute, ce n'est rien, rien qu'une passade, me dit-il. Tu comprends, les hommes, on est comme ça. On a besoin d'aventure, de changement. À la longue notre désir s'émousse. Tu n'as rien à craindre, tu ne comptes pas pour moi, c'est toi que j'aime. J'ai besoin de toi, de tout ce que tu représentes pour moi, jamais je ne te quitterai, pas même pour toi.

Il avait raison, je le savais. Si je lui ai pardonné cette fois-là, c'est que je croyais qu'il ne pourrait jamais arriver à se passer de moi : c'était ça ma force.

Néanmoins il me fallait prendre une décision. Allais-je rester double ou plutôt me débarrasser de ma première version? J'aurais pu la garder sous mon lit et laisser mon homme s'en servir de temps en temps, quand son désir aurait été en panne, mais je craignais ainsi de devenir, à la longue, ma propre rivale. Non, il était préférable que je la fasse disparaître car, même dégonflée, elle représentait une menace. Aussi le lendemain soir, malgré les protestations de mon homme, je la déposai, ficelée dans un sac de papier brun, au fond d'une poubelle, sur le bord du trottoir. Là, assurément, elle ne me causerait plus d'ennuis. Il me fallait maintenant mettre en action tous les moyens dont je disposais pour éviter que mon homme eût à nouveau la tentation d'aller voir ailleurs si j'y étais. La seule manière d'y arriver, je le savais, était d'entretenir son désir. Ce ne serait pas facile bien sûr et cela risquait de coûter cher, mais qu'importe; après tout, c'était lui qui payait...

Pour avoir une idée exacte de ce qui était susceptible d'alimenter ses ardeurs, je me mis à consulter régulièrement toutes sortes de magazines. Ils me donnèrent de précieuses indications, souvent explicites, sur ce qui séduisait les hommes. À cet égard les revues «féminines» et les émissions de télévision «pour la femme» qui passaient dans l'après-midi, pendant qu'il travaillait, constituaient également d'inépuisables ressources. Suivant leurs conseils, je pris l'habitude d'aller régulièrement chez le coiffeur. Je me fis épiler les sourcils; je rasai mes aisselles et me fis arracher à la cire tous les poils disgracieux qui recouvraient mes jambes. Je m'enduisais tous les jours de crème, pour hydrater ma peau. Je peignais mes lèvres et mes ongles, soulignais au crayon mon regard, redessinais mes sourcils, selon des méthodes savantes que j'avais appris à maîtriser. Je me parfumais abondamment et j'avais toujours soin de faire grand usage d'un désodorisant. Lorsque j'avais mes choses, mes trucs, mes «vous savez quoi»... enfin lorsque j'étais malade, je m'arrangeais pour qu'il ne le sache pas, de façon à ne pas susciter son dégoût.

En consultant les nombreuses sources mises à ma disposition, j'avais en effet découvert maints aspects de ma personne jusque-là ignorés. J'appris, par exemple, que je puais. Mon haleine, mes aisselles, mon entre-jambes, surtout à une certaine période du mois, étaient à surveiller constamment car ils étaient susceptibles d'émettre des odeurs nauséabondes. Mes cheveux étaient ternes et sans vie, mon regard éteint, ma peau desséchée, ma bouche et mon teint fades. Mes seins avaient tendance à tomber, mon ventre, à ramollir. J'étais menacée de cellulite, de vergetures et de varices. Je courais de plus le risque de me voir affublée d'une culotte de cheval ou d'une bosse de bison. Une fois instruite de toutes ces calamités j'aurais certes été désespérée si je n'avais pris connaissance d'une foule de recettes pour y remédier. Grâce à une gamme de produits parfumés, de cosmétiques, de teintures, de crèmes, je finis par venir à bout de mes odeurs, de ma fadeur et du dessèchement qui me menaçaient. Quelques exercices suffiraient à remettre seins et ventre à la bonne place et contribueraient à dompter tant le cheval que le bison.

Ces problèmes résolus, il me restait à régler l'épineuse question de l'enrobage. C'était un sujet délicat car il y avait plusieurs écoles de pensée et il me fallait découvrir à laquelle mon homme appartenait. Après quelques semaines d'observation, j'optai pour un enrobage de type classique qui convenait parfaitement à mes fonctions. Je jouai la carte de la féminité dans ce qu'elle a de plus conventionnel : des robes légères mais sages, des teintes claires, quelques falbalas et bijoux pour les grandes occasions. J'appris de plus à compter sur les souliers à talons hauts, accessoire indispensable pour parfaire cette image de vulnérabilité, de fragilité et de précarité qui plaisait tant à mon homme.

Toute cette période de formation ne fut pas facile et je dus faire preuve de persévérance et de ténacité, mais à la longue ma stratégie s'avéra efficace : mon homme reprit ses activités nocturnes. Cependant, le désir de mon homme étant tout entier contenu dans le regard qu'il posait sur moi, je devais faire des efforts constants pour m'entretenir. Cela ne me laissait guère de répit et après plusieurs mois j'étais essoufflée. Et puis, il y avait autre chose qui me tracassait. Cette énergie déployée avait bien sûr pour but ultime de procurer du plaisir à mon homme afin de le garder près de moi. Mais quel était donc ce plaisir qui me coûtait tant de sacrifices? Il devait être bien intense pour me valoir toute cette peine. Saurais-je un jour ce qu'il était? Et pourquoi ne pouvais-je pas moi aussi goûter au fruit de mes efforts? À force de vivre avec moi-même, j'en étais venue à prendre la juste mesure du vide qui m'habitait, mais il m'arrivait d'espérer trouver un jour de quoi le meubler. Peut-être le plaisir...

L'ingrédient principal du plaisir, c'est le désir. De cela, j'étais convaincue; mon homme me l'avait assez répété. Or si je savais désormais parfaitement d'où provenait son désir à lui, je n'avais pas la moindre idée de l'endroit où dénicher le mien. Je décidai alors d'entreprendre de nouvelles recherches dans l'espoir de me documenter sur la question.

Forte de mon expérience passée, je me suis tournée, encore une fois, vers les magazines et les émissions féminines. Hélas! le sujet ne devait guère susciter d'intérêt car on n'y faisait pas la moindre allusion. J'essayai ensuite d'en parler avec les femmes qui venaient aux réunions *Tupperware™* avec moi, mais elles ne paraissaient pas comprendre de quoi je voulais parler. Je me rabattis finalement, en désespoir de cause, sur les livres de psychologie qui devaient être, me semblait-il, au fait de la question. La déception fut amère. J'eus beau lire et relire les brefs passages qui traitaient du sujet, je n'y comprenais rien. Quelle était donc cette langue que je ne parlais pas? Le désir de la femme y était défini à la fois comme le négatif et comme le complément du désir de l'homme. Comment dans ces conditions arriver à éprouver un désir qui ne m'appartiendrait pas en propre et qui ne serait finalement qu'une version modifiée du désir de l'autre?

Heureusement, au fil de mes lectures, je découvris la prévalence d'un désir dont j'ignorais l'existence jusque-là et qui, à lui seul, semblait se substituer à tous les autres: le désir d'avoir un enfant. Mais comment n'y avais-je pas songé plus tôt? C'était ça la solution! Ce vide à combler, cette façon de rentabiliser le temps investi dans le désir de l'autre et de trouver à mon tour une motivation à cette si déconcertante activité nocturne. Pas besoin de chercher plus loin!

Quand j'annonçai à mon homme que j'allais avoir un enfant, il parut soulagé. Enfin j'étais calmée! Il y avait déjà pas mal de temps que je l'embêtais avec mes questions, auxquelles il ne pouvait trouver de réponses; là au moins j'allais me tenir tranquille pour longtemps, vingt ans au moins.

L'enfantement me posa de nombreux problèmes auxquels je n'étais pas préparée. D'abord, à mesure que mon ventre grossissait, les recettes pour entretenir le désir de mon homme s'avérèrent de plus en plus ineffi-caces. Comment avoir une haleine fraîche lorsqu'on dé-gueule à toutes les demi-heures? Comment empêcher ses seins de tomber lorsqu'ils sont gorgés de lait? Comment éviter les vergetures lorsque votre peau est tendue à craquer sous la poussée de quelqu'un qui vous envahit petit à petit. Comment songer à votre apparence extérieure lorsque tout votre être est porté vers ce qui se passe au dedans de vous? Et puis, surtout, quelle importance le désir de l'autre lorsque ce qui vous arrive vous apporte la certitude que, pour toujours, il y aura quelqu'un avec vous; une présence à jamais indéfectible, un parfait rempart contre tous les délaissements à venir .

Lorsque mon homme s'aperçut que j'avais l'assurance de ne plus jamais être seule, quand il comprit que le désir qu'il pouvait avoir de moi était relégué au second plan, il se trouva lésé. Il ne fut pas tendre : cela n'en valait plus la peine, car il pensait aussi qu'avec cet enfant j'étais liée à lui définitivement et que je continuerais à lui appartenir, n'ayant pas plus les moyens maintenant de lui échapper, malgré cette percée vers l'ailleurs, vers l'autre, qu'autrefois lorsque j'étais seule. Quand on n'existe pas vraiment, la multiplication est une opération parfaitement chimérique...

Avec la naissance de mon enfant, ma vie se trouva transformée. J'étais devenue quelqu'un d'autre. Je dus par conséquent réviser toute ma personnalité pour l'ajuster à mon nouvel état de mère. La documentation sur le sujet ne manquait pas et il semblait que tout le monde savait ce que cela pouvait signifier. Je m'appliquai, comme toujours, pour être conforme à ce qu'on attendait de moi dans ce nouveau rôle de mère.

Théoriquement, la maternité aurait dû me combler et faire taire à jamais en moi toute velléité de changement; c'est du moins ce que disaient les livres que j'avais lus et ce que semblait croire mon homme. Pourtant ce ne fut pas le cas. Entre le temps consacré à mon enfant et celui où je prenais soin de mon homme, se trouvait un petit interstice par lequel le néant se glissait pour arriver jusqu'à moi. Le sentiment de vacuité que l'enfant suscita en moi m'apparaissait d'autant plus insupportable qu'il était supposé combler tous les vides. Il y avait une lacune, un manque, un trou quelque part. Comme je n'étais pas conçue pour la réflexion, je n'arrivais pas à identifier de quoi au juste il s'agissait, mais je sentais qu'il me fallait explorer des voies nouvelles. Telle quelle je ne me suffisais pas. Je décidai donc encore une fois de retourner au magasin pour m'échanger. Lorsque la colère de mon homme se fut apaisée, il consentit à me donner une substantielle allocation de départ qui allait me permettre d'acquérir un modèle plus coûteux. Quant à l'enfant, je me disais que ma nouvelle version n'en voudrait probablement pas, aussi je me résignai à le lui laisser.

Le rayon des femmes regorgeait de marchandises. On était à la fin du printemps et le stock d'été était arrivé. Je fus tout de suite tentée par un modèle très luxueux qu'on avait mis en vitrine. C'était une grande fille très mince, à la taille fine, à la chevelure dorée et abondante. Elle avait des lèvres pulpeuses, une poitrine provocante et des fesses rebondies. Avec celle-là je n'aurais pas besoin de faire le ménage, car elle n'avait rien d'une ménagère. Elle n'était pas non plus du genre à se consacrer à un enfant. C'était toujours ça de sauvé; j'allais disposer de plus de temps pour m'occuper de moi-même.

Le vendeur m'avait expliqué que j'étais un modèle spécialisé, à usage spécifique, qui nécessiterait beaucoup de soins, tant pour l'utilisation que pour l'entretien. Je dus refaire entièrement le décor de la maison pour qu'il convienne mieux à l'objet de luxe que j'étais. Mon nouvel homme, soucieux de me mettre en valeur, accepta de défrayer les coûts de mon installation, non sans rechigner quelque peu. Je ne le voyais que rarement et pour de brèves rencontres. Il vivait en effet avec un ancien modèle qu'il gardait à la maison afin d'assurer le confort de sa vie quotidienne et pour préserver sa sécurité émotive, car c'était un homme sensible.

Mon rôle consistant exclusivement à séduire, je dus parfaire mes connaissances dans ce domaine. J'appris rapidement les quelques notions de base de la séduction. Je devais être silencieuse ou à tout le moins ne rien dire qui puisse faire soupçonner une quelconque activité cérébrale de ma part. Il fallait aussi que je sois toujours d'accord, que je ne manifeste jamais aucune opposition. Je pouvais bien sûr, de temps en temps, avoir un petit caprice, bouder un peu ou même faire quelques agaceries, histoire de mettre du piquant dans leur vie, mais ça devait toujours être dans des limites acceptables. Je m'aperçus que mon homme éprouvait encore plus de satisfaction à mon égard lorsque j'attirais également le regard des autres hommes, tout en lui conservant évidemment l'exclusivité. J'appris alors le jeu savant de l'exhibition suivie du retrait pudique, tactique éprouvée qui me fut fort utile pour exciter leur désir. Je ressentis bientôt une délicieuse satisfaction à voir se poser sur moi tous ces yeux remplis d'admiration et de convoitise. Je m'enivrais du pouvoir que, grâce à ma beauté, j'exerçais sur les autres. Tous ces regards braqués sur ma personne me procuraient la troublante certitude d'exister vraiment. J'étais enfin quelqu'un!

Pourtant le jour où les premières rides apparurent sur mon visage, le doute reprit sa place. J'avais beau passer des heures, inquiète, à tenter de parfaire mon image, il y manquait toujours quelque chose. Il est vrai que je n'avais plus, comme autrefois, ni ménage ni enfant en guise de compensation. Qu'allais-je devenir lorsque je ne serais plus assez belle pour qu'on me mette en vitrine? Cette perspective me remplissait d'effroi car je prévoyais que le jour où l'on arrêterait de me regarder, je cesserais d'exister. Je devais donc à nouveau m'échanger avant qu'il ne soit trop tard.

Je songeais, en me dirigeant vers le magasin, que je me devrais d'être vigilante afin de ne pas répéter les erreurs passées. J'avais compris que mon homme me recherchait précisément parce qu'il ne m'accordait pas le privilège d'exister. Il tendait vers moi uniquement parce qu'il me concevait comme un manque. Par conséquent, il ne risquait pas de me trouver, pas tant du moins qu'il me penserait en termes de faille, pas tant qu'il me dénierait toute existence en dehors des limites de sa pensée et que son langage m'éprouverait comme absente.

Il me fallait donc pour exister vraiment me penser moi-même. Mais avec quels mots? Les seuls que je connaissais étaient ceux des hommes. Je touchais là le fond du problème. C'est sans doute ce qui me poussa à me choisir ce jour-là, malgré mon prix élevé et bien qu'on m'eût prévenue que j'étais dangereuse. J'étais annoncée comme le dernier modèle en vogue, la plus récente invention. Le fin du fin. On disait de moi que je cherchais à prendre possession de moi-même. Je tentais d'échapper par mon discours, par mes actes, aux stéréotypes sexuels. J'étais supposée donner une nouvelle définition de la femme; du moins, c'est ce que prétendait l'étiquette attachée autour de mon cou. Voilà qui était intéressant; avec celle-là, je ne risquais pas de m'ennuyer.

Non, je ne m'ennuyai pas. Comme je m'harmonisais très mal avec le décor de ma maison, j'étais presque toujours dehors. Les premiers temps, mon activité principale consista à expérimenter divers moyens pour contredire l'image que l'on pouvait avoir de moi. Je me fis raser le crâne et je laissai pousser tous mes autres poils librement. Je n'étais jamais maquillée et, pour l'essentiel, mon enrobage était composé d'une paire de jeans et d'un *sweat-shirt* ample qui ne laissait rien deviner de mes

formes. Je délaissai la cuisine pour apprendre le brico-
lage et la menuiserie. Tous les dimanches je jouais au
hockey; j'étais ailière droite. Je devins même mécani-
cienne et c'était très drôle de voir la tête des gens quand ils
me voyaient arriver dans mes habits de travail, les cheveux très courts, les mains noires de cambouis. Le soir,
j'allais dans les bars. Je buvais sec et il n'était pas rare que
je ramène à la fin de la soirée un inconnu dans mon lit
pour faire l'amour. Je faisais d'ailleurs l'amour avec
toutes sortes de gens et de toutes sortes de manières, car je
me disais qu'en accumulant les expériences je finirais bien
par trouver ce qui me convenait le mieux.

Ĺhomme que je voyais régulièrement à l'époque
me paraissait satisfait de notre relation. Bien sûr, je
n'étais pas un modèle très facile à manipuler, je compor-
tais ma part d'imprévu, mais l'idée de fréquenter une
femme moderne lui plaisait particulièrement. Cela cor-
respondait à ses aspirations, à ses phantasmes. Je devais
quand même être vigilante car l'image qu'il avait de moi
risquait à tout moment d'influencer mon comportement.
C'est d'ailleurs pour cette raison que je ne le voyais pas
trop souvent : j'avais peur de m'oublier.

Au bout de quelques semaines je fus prise d'une
véritable frénésie de lecture. Je lisais tout ce qui me tombait sous la main et qui ne me semblait pas destiné. Je
m'abonnai même au journal. Fatalement, à force d'acquérir des connaissances, j'en vins petit à petit à penser et,
c'était inévitable, un jour je pris la parole. C'est là que les

choses se mirent à aller mal. Non pas que les hommes ne m'empêchassent de parler. Le problème résidait plutôt dans le fait que, quoi que je dise, ils ne m'écoutaient pas. Il arrivait bien sûr qu'ils fassent gentiment la conversation avec moi, mais aucune de mes paroles ne les pénétraient jamais. Parfois, ils semblaient d'accord, mais il se passait toujours très peu de temps avant que je ne m'aperçoive que ce que je leur disais ne comptait pas vraiment. Je parlais dans le vide.

Pendant une longue période, je haussai la voix dans l'espoir qu'on m'entende. J'employais un vocabulaire provoquant et il m'arriva même au cours d'une argumentation de donner des coups de poing sur la table, en blasphémant. Rien n'y fit. Au contraire, on commença à me considérer avec dédain et mon homme, par quelques remarques acerbes, me fit comprendre que là, vraiment, j'allais trop loin. Il y avait des limites à sa complaisance. Je devais être prudente car je risquais de me retrouver seule, encore une fois. Or seule, je n'existais pas. Je devins alors plus conciliante, plus modérée dans mes propos. En fait, pour l'essentiel, mon existence se passait à quêter l'approbation de l'homme, sans laquelle rien ne pouvait avoir de sens. J'étais finalement revenue à mon point de départ.

Ce qui s'offrait à moi, comme virtualités, m'apparaissait futile et vain. Aucun des modèles proposés ne me convenait. Par ailleurs, toutes les tentatives que j'avais faites pour m'inscrire dans la réalité avec ma vérité propre s'étaient avérées infructueuses. N'était-ce pas encore eux qui guidaient mes choix lorsque j'avais tenté d'échapper à leur vision des choses en faisant le contraire de ce qu'ils attendaient de moi?

C'est la mort dans l'âme que je retournai, pour la dernière fois, dans le rayon des femmes. J'avais décidé de me faire rembourser. La célérité et l'empressement avec lesquels le vendeur, satisfait, me remit mon bel argent, me révéla les vraies raisons de mon échec. C'est ici seulement, dans ce grand magasin, parmi toutes ces marchandises étalées, que se trouvait le secret de mon inexistence. Ce n'est que par rapport aux autres marchandises de mon espèce que pouvait s'établir mon juste prix. Dans l'absolu, je n'avais aucune valeur. Je découvris cette vérité effrayante : je n'avais de valeur que d'échange.

Je suis rentrée chez moi, dépossédée. Pendant des jours, solitaire, je me suis efforcée de sortir des limbes de cette réalité sans appel. Je contemplai le monde, espérant y trouver quelques certitudes pour tenter d'exister. De rayon des hommes il n'y en a pas, et même si cela était, qu'aurais-je à y faire? *Il y a quelque chose qui me pense autrement que je suis.* La psychanalyse ne me fut d'aucun secours, là aussi les mots leur appartiennent. Sur l'amour on ne pouvait compter vraiment. Alors une nuit où la lune s'affichant particulièrement pleine, m'assurait de sa complicité, je pris une résolution : puisque, telle quelle, je ne pouvais vivre, j'allais me réinventer.

J'entrepris, cette nuit-là, de m'écrire.

Maurice Comtois

L'infini est une boîte
ou la longue marche d'Alexeï Borakov
(Document eschatologique)

Maurice Comtois

Abitibien demeurant à Québec. Gagne sa vie comme vendeur de prose. «Nous sommes tous des pigistes», disait souvent un vieux lettré chinois de l'époque Wou. À déjà publié dans des revues d'avant-garde. «Faut pas trop en parler, nous avise-t-il. L'avant-garde, c'est tellement rétro!» Partisan du rattachement du Québec à la France. Ne croit pas à l'autonomie du Québec en littérature. «Chez nous, dit-il, le Voyant, c'est l'entrepreneur. Le seul rock & roll qu'on trouve au Québec, c'est la PME». Rêve : écrire un traité — le Grand Œuvre — sur Elvis. Ambition: devenir citoyen français, être publié dans la Pléiade de son vivant et siéger à l'Académie Française. Déception : être obligé de vivre dans l'après-Révolution Tranquille. «Notre planète s'est arrêtée de vivre en 1960. Biologiquement parlant, les soubresauts *branchés* post-mortem ne relèvent pas de la vie», précise-t-il.

Comtois est un partisan des Nordiques.

L'infini est une boîte

ou la longue marche d'Alexeï Borakov
(Document eschatologique)

AVERTISSEMENT

Le texte que l'on peut lire à la suite de cette procla-mation liminaire est un compte rendu des événements qui entourèrent une mystérieuse tentative pour Sauver le Monde de la dissolution finale. On ne sait si l'entreprise a réussi ou échoué. Depuis 1917, année où, à la Combe d'Irène (Portugal), la Demoiselle apparaissait à six repri-ses aux trois enfants prénommés Lucie, François et Jacinte, il n'est un secret pour personne que la Russie constitue une des clés de cette Opération Sauvetage. (Pourtant, une question demeure, hors de notre propos ici: Pourquoi devrions-nous nécessairement être sauvés, dans l'éventualité d'une destruction de la Terre? Je n'en ai personnellement aucune idée.)

La Longue Marche d'Alexeï Borakov traversant à pied une grande partie du territoire soviétique rappelle, dans certains de ses aspects, la célèbre chevauchée de Napoléon qui galopa de Valladolid à Burgos en cinq heures. Signalant cette prouesse dépassant les capacités humaines — et chevalines — normales, Léon Bloy démontre comment le Dessein de l'Empereur des Français (et, au fond de leur psyché nationale, des Québécois) a fait de lui le Préfigurant par excellence : il annonce Celui qui doit venir. En tout cas, l'Union soviétique sera un pion important dans le Jeu de Rôle cosmique des prochaines années, plus précisément jusqu'à l'entrée en scène de Pietrus Romanus, personnage dont la nature véritable n'a pu encore à ce jour être mise au clair. Ça ne sera pas reposant au Kremlin. Ça va chauffer, *da!* Tellement que les Scythes n'auront plus besoin d'aller à Tchernobyl ou sur la Mer Noire (la Riviera communiste) pour se faire bronzer.

— Ah, cette chair nubile, ô ma svelte-Lana!
— *Hi Gorb! Them Commies just-look-groovy!*
— *Da, da. Super-Duper...*

Remarquez-le bien, on ne fera pas mention de bricoles telles que les programmes d'exploration spatiale de style *Cracker Jack* (limitée à notre système solaire) et

Star War que les employés de la NASA, le midi, à la cafeteria, désignent sous le nom poétique de *Reagan's Geriatric Jockstrap*... Non! foin de ces trivialités! Le problème majeur de notre époque est plutôt celui de l'échéancier de l'Abolition du Temps. À cet égard, nos savants ont beaucoup de rattrapage à faire. D'ailleurs, si les missionnaires espagnols n'avaient pas détruit les livres sacrés mayas, nous serions peut-être déjà sautés de l'autre bord et on ne se poserait plus de questions ineptes du genre : J'ai-tu l'temps d'aller magasiner entre la sortie du bureau et mon souper au restaurant avec Odette? Est-ce que les accords du lac Meech permettront à Bourassa de liquider la tabarouette de mautadite question constitutionnelle avant les prochaines élections?

En cette fin de cycle du dernier Kali-Yuga, la Temporalité est irrémédiablement condamnée. La mesure du Temps, ainsi qu'un château de sable, a accompli son oeuvre... temporaire. Si on n'y «va» pas tout de suite, eh bien! il faudra — du moins selon les calculs les plus optimistes et les computs les moins improbables — attendre encore mille ans avant de remettre ça. L'accélération temporelle, ce retour d'ascenseur commencé depuis la Renaissance et l'apparition du Rationalisme, se poursuivra à un tempo toujours plus rapide. Quand faut y aller... Et puis, vous ne trouvez pas que la cage vibre bizarrement? Mes frères! mes soeurs! il n'y a plus un instant à perdre: recréons l'état primordial qui était celui de nos premiers parents avant la Chute! Pour ce faire, pratiquons l'Union Sacrée, cette figure du *regressus ad uterum*, accompagnée des incantations du *T'ai-si k'eou kuie,* rythmée collectivement sur le compte à rebours de notre chute hors du Temps! Seul ce processus de résorption cosmique peut guérir l'humain de sa douleur : l'existence du Temps! C'est la fin du Règne de l'Incarnation!

On comprendra que de malheureux cons, toujours plus cons, vont tenter d'arrêter le mouvement (l'histoire du Rock and Roll se répète), oui le mouvement Général des Choses dont l'inexorabilité a toujours été la principale... bah, disons-le tout uniment, la seule caractéristique. La Fatalité, qui n'est pas un mythe romantique, est inscrite dans notre nature de la même manière que se produit, disons, une flaccidité de la mantule en l'état — bien connu mais d'une durée indéfinie — de labilité post-coïtale (du moins chez les sujets moyens). Mais, hélas, la régénération totale du Temps, la répétition du Grand Commencement *in illo tempore,* ne se reproduira plus. Dans son inconscience, l'Occident aura pourtant tenté un retour désespéré à l'État Primordial : à travers l'historicisme revivaliste, à travers la quête édénique du Far-West, à travers le millénarisme sécularisé du Culte américain de la Nouveauté, à travers cette toute primitive fonction rédemptrice de la Difficulté qui caractérise l'ensemble de l'art moderne. Hop! le Syndrome de l'Eschaton labourera tout de sa charrue enténébrante. On ne pourra plus jamais réitérer la cosmogonie; la transcendance aura épuisé tous ses recours : l'Arbre de Vie, l'*Axis*

Mundi est abattu.

Les évangélistes, toujours plus riches, seront pris de la Danse de Saint-Guy et descendront *twister* dans la rue.

Les faibles d'esprit seront réconfortés.

La majorité de la population estimera que «les temps sont très mauvais», que ça n'a jamais été aussi mal dans le monde...

Les MacDonald's se transformeront graduellement en forum de l'inquiétude populaire.

Jour de la Confédération, il y aura des prodiges dans le ciel.

Par toute la Terre, les Parlements seront investis par des troupes de Petits Caporaux en chaleur.

Les plus belles d'entre toutes les femmes ne se montreront plus en public sans avoir préalablement revêtu un tchador.

Les assistés sociaux seront condamnés désormais à manger quatre semaines par mois de leur brouet clair mieux connu sous le nom imagé de «Bouillie à la Auschwitz» (farine, eau, cassonade).

Pour éviter la faillite, les salles de cinéma ne présenteront plus que des Fred Astaire, des Bing Crosby, des Fernandel, du Denis Héroux, des Elvis en maître-nageur hawaïen ou des Reagan première cuvée.

Il n'y aura plus de pop-corn au beurre.

On ne verra plus de *yuppies* sur l'avenue Cartier à

Québec, ni sur la rue de la Montagne à Montréal.

Douglas «Coco» Léopold vendra des joints au persil coin Saint-Denis-Maisonneuve. Wow.

Michel Girouard déménagera au Pôle Nord pour profi-ter des derniers soubresauts de... l'axe terrestre.

Les employés de Radio-Canada se réfugieront dans les locaux de TVFQ... parce que les nouvelles y arrivent toujours deux semaines en retard.

La Poune tentera un dernier raid chez la gent masculine.

Il y aura des pleurs et des graissements... de dentiers.

Faisant preuve d'une fort légitime prudence, les propriétaires de Mercedes, d'Alfa Romeo, de BMW, de Corvette et de MG sortiront seulement en «char-de-mon-oncle».

Qu'on vienne pas nous dire que ça va être triste!

La fin du monde est un carnaval.

Armageddon, Here I Come!

* * *

Iakoutsk, 1962

Les signes avant-coureurs de l'automne venaient de faire leur apparition. Dans la steppe sibérienne, l'hiver est déjà proche.

À six heures trente du matin, lorsque le brouillard léger commence à se dissiper, rien ne se ressemble autant entre eux que ces villages — humbles bourgades, à vrai dire — de la région d'Iakoutsk. Un jeune homme brun et mince, au teint anormalement pâle traverse à grandes enjambées un hameau, curieuse enclave rurale résistant encore à la banlieue proliférante d'Iakoutsk. Quelques vieilles femmes, réveillées à très bonne heure par le rhumatisme ou le lumbago, écartent lentement les rideaux pour épier fixement le singulier promeneur, à l'entrain si matinal, serrant une besace sous son bras.

Alexeï Borakov vient de terminer un séjour de six mois dans un poste d'observation éco-biologique du détroit de Behring, situé près d'Ouelen, à deux cents kilomètres du Cercle polaire arctique.

Vladivostock, 1962

Au début de l'année, Alexeï occupait un poste subalterne dans un magasin de vêtements et de chaussures. Il n'avait jamais quitté sa ville natale, Vladivostock. Mais au milieu du mois de janvier, par une de ces journées où la luminosité de l'hiver boréal possède un éclat presqu'insoutenable, Alexeï prit la première grande décision de sa vie. Il se rendit aux bureaux de l'Office Responsable des Emplois Spéciaux à Caractère Scientifique. Alexeï avait entendu dire qu'on cherchait des gens intéressés à aller travailler dans une station d'observation située sur les côtes de la mer de Behring. Il expliqua avoir toujours été attiré par le Grand Nord, la vie en isolement et désiré depuis longtemps être initié à cette forme particulière de biologie : l'étude des mœurs et migrations de la faune ailée arctique.

Alexeï était bien résolu d'accepter tout emploi qu'on voudra bien lui offrir.

Le Conseiller en Main-d'œuvre Spéciale, homme au gros visage rond et hilare qui avait écouté le jeune homme avec un air dont la jovialité bienveillante aurait paru suspecte sous d'autres latitudes, compris tout de suite ce que recherchait Alexeï. Il y avait d'ailleurs quelques postes disponibles. Sur le visage tantôt anxieux tantôt souriant du garçon le fonctionnaire vit la marque d'un caractère exalté, amoureux des grands espaces, de l'immensité sauvage, lieux propices à la méditation mais aussi à la pratique d'un certain type de poésie que l'on peut qualifier de philosophique. Aussi, il demanda à Alexeï, surtout à cause de cette allure à la fois timide et fantasque, s'il écrivait de la poésie.

— Oui! clama sans aucune retenue Alexeï, comme si c'était là une grande nouvelle en soi, ou la révélation d'une activité de la plus haute importance.

— Voilà qui est positif en un sens, de renchérir son intervieweur, car il n'y a pas grandes distractions là-haut. Mais, parallèlement à votre travail, il vous faudra étudier bien fort, camarade, si vous voulez être accepté dans un institut technique de Moscou ou de Novossibirsk et monter en grade... si telle est votre ambition.

Et tout se déroula comme par enchantement.

Alexeï laissa son emploi au magasin, embrassa sa vieille mère et sa sœur qui pleuraient de voir partir aussi soudainement le «petit», salua quelques amis puis, muni de sa petite valise qui avait appartenu à son père (décédé au cours de la Deuxième Guerre mondiale), il se fit conduire à l'aéroport.

C'est curieux, mais il me semble que je suis parti depuis très longtemps, se dit Alexeï, rêveur, tandis que le bimoteur de brousse prenait son envol.

...Comme si j'avais passé toute ma vie à cette station biologique, avec mes oiseaux, les fleurs d'un jour, les phoques. Avril. Rien qui n'annonce encore le printemps. Mai est à peine plus doux. Au fond, qu'est-ce que cela peut bien me faire? Je répète les mêmes clichés que les autres... pour ne pas les déranger. En réalité — si une telle chose est , si ce réel peut vraiment signifier quelque chose de fiable, d'assuré, de fini, de compact — j'ai l'impression physique, quasi tactile, d'avoir toujours vécu pour quelque chose d'autre que... ma vie elle-même. Comme si j'avais une existence parallèle à ma famille, mon quartier, mon travail et à ce que je fais quand je fais ce que j'ai à faire dans cette vie-ci. Mais... est-ce que je délire? Je suis moi! Il n'y a pas de doute. Du moins, il ne devrait pas y avoir de doute. Qu'est-ce qui me prend depuis un mois? J'espère que cela n'a rien à voir avec ces histoires de...

Alexeï s'arrêta brusquement de penser. Dès cet instant, son esprit se *remplit* d'un vide (aucun autre mot ne pourrait adéquatement décrire le phénomène), vide qui devenait effrayant de vide toujours neuf dont la substance se renouvelait sans cesse à la manière d'un déferlement de lave qui se condense, se concentre telle la succion irrésistible d'un puissant vortex.

Vladivostock, 1970

— On aurait dit qu'un aspirateur m'avait happé le cerveau, me déclara Alexeï Borakov, vingt-huit ans, ingénieur et cadre administratif supérieur d'une usine de composants électroniques, à Vladivostock.

Lors de ma première rencontre avec lui, je faisais partie, à titre de journaliste d'une revue publiée par une grande société hydro-électrique, d'une délégation commerciale québécoise en tournée dans la partie industrialisée de l'Orient soviétique. Groupe mixte État-entreprises, nous voulions étudier sur place la fameuse politique de décentralisation industrielle de l'URSS qui est — on a pu en juger de visu — une des plus belles réussites de ce pays.

Nous avions fait un peu mieux connaissance dans la cafétéria de l'usine où, après le déjeuner, je m'étais attardé pour noter quelques impressions du paysage entrevu en une zone montagneuse du nord-est, dans le Sikhota-Alin. Pour casser la glace, nous avions échangé les taquineries d'usage dans le domaine du hockey. «Un jour très prochain, m'annonça Alexeï d'un ton grandiloquent, très vieille-Russie, nous pourrons enfin nous mesurer de façon décisive dans une véritable rencontre au sommet URSS-Canada. Vous aurez alors la révélation de l'existence... des *seuls* continuateurs de la Punch Line, de la Grande Tradition Canadienne, en d'autres mots du hockey classique qui s'est malheureusement perdue chez vous, si j'en crois nos commentateurs...»

Je ne pus qu'acquiescer à ces énergiques propos.

La conversation prit rapidement une toute autre tournure. Alexeï jeta un coup d'oeil inquiet et curieux sur la feuille où je griffonnais mes impressions de voyage lorsqu'il s'était approché de la table. Comme il n'écrivait plus depuis qu'une suite d'événements pour le moins étranges avaient changé le cours de sa vie, Alexeï était intrigué — ce qu'il me confia un peu plus tard dans son anglais rocailleux et pittoresquement scolaire — par la posture que j'adoptais en écrivant, presqu'en déséquilibre au coin de la table.

— J'avais l'impression que vous (je présume ici que, venant d'un «Européen», il me vouvoyait) étiez mu par un élan d'écriture très violent, me dit-il avec emphase. (Une précision s'impose avant que je lui laisse à nouveau la parole. Ce ne sont pas là les termes exacts utilisés par Alexeï, vous l'avez peut-être deviné. Mais je m'efforce de rendre le plus fidèlement possible la *totalité* de ce que tout son être m'exprimait.) Je vous regardais, continua-t-il, et cette table devenait un océan sur lequel vous dériviez dangereusement, vers des falaises abruptes, soit le vide et le sol! Tout cela m'intéresse au plus haut point même si je n'écris plus depuis le... (Alexeï proféra ensuite des sons qui m'étaient inconnus. S'agissait-il de mots russes ou de quelque dialecte oriental? J'avais la conviction que c'était plutôt un gargouillis quelconque car son regard, devenu très pâle, exprimait la douleur et l'incohérence). Il poursuivit : .... et qu'une voix en moi appelait sourdement, telle une résurgence pré-natale fort lointaine : "Viens! Vois! Regarde bien! Là, toi aussi, tu as déjà fait cela!"

Reprenant son calme, Alexeï me dit d'un ton ironique et réprobateur: «Vous me cachez quelque chose, là, sous cette feuille. Ce texte (il fouillait dans mes papiers avec un sang-gêne brutal qui me semble très russe)... non, ces deux textes, là, hum, du travail bien fait! Même si je ne peux lire le français, je vois par votre écriture soignée que vous y avez mis beaucoup de vous-même, en tout cas que vous leur accordez une importance... disons littéraire, n'est-ce pas?»

J'étais interloqué par le revirement de la situation. Je lui répondis en balbutiant que l'on pourrait considérer ces deux textes comme... disons littéraires mais que peu de gens seraient en mesure de les comprendre puisque j'ai la manie d'essayer de rendre, de formuler en des phrases lapidaires la totalité, la matérialité oserais-je dire, de certains grommellements, d'obscurs grouillements de ma

64000

vie intérieure.

— J'y fais référence à la Russie, mais de façon très peu touristique, si vous voyez ce que je veux dire, ajoutais-je en sentant des rougeurs me monter au front comme un mauvais garnement pris sur le fait.

— Vous n'avez pas à essayer de vous justifier, lança Alexeï d'un ton rassurant. Écoutez, mon cher Maurice, ce n'est pas un hasard si nous nous retrouvons ici aujourd'hui. La chose pourra peut-être vous étonner, vous paraître présomptueuse, mais je dois me servir de vous pour une mission un peu spéciale : celle de gardien. On — et je dis on parce que je ne peux en dire plus même si je le voulais — on vous a choisi, un peu comme l'Union Soviétique en ce qui a trait à la tradition du hockey canadien, comme dépositaire d'un secret que je n'ose qualifier de mien. Je vous raconterai tout ce que je sais de ces expériences bizarres que j'ai vécues comme s'il s'agissait d'un rêve éveillé. Pour que nous soyons quittes, lisez-moi ces deux produits de votre ego bourgeois décadent, en français — n'essayez pas de me les traduire — car je sens là sous ma main, dans ces deux textes, grouiller, pour reprendre votre expression, des mystères qui, un jour, s'uniront au mien dans le cadre d'un Dévoilement Universel, d'une Grande Réconciliation cosmique, déclara solennellement Alexeï à bout de souffle.

La conclusion, mystique, me surprit. Mais comme j'étais curieux d'en savoir plus long sur Alexeï et son nébuleux secret, je m'abandonnai à la complicité qui s'était établie entre nous et consentis à lui lire mes *manières* de poèmes. Alexeï m'avait convaincu de leur mystérieuse parenté avec ce secret qu'il voulait me faire partager. Comme il insista pour que je lui lise ces textes et que je ne possède pas — comme cela est sans doute aussi votre cas, lecteurs éventuels — toutes les données me permettant de comprendre le sens et la nature de l'histoire d'Alexeï, je vous livre ces deux pages au risque d'alourdir encore davantage cette chronique de voyage qui, je le crains, tourne maintenant au plus sombre rébus.

Tandis qu'Alexeï se carrait sur sa chaise en croisant les bras, ses yeux fixant le plafond, je lus le premier poème, écrit dans l'avion entre Moscou et Vladivostock, à bord du célèbre et très contreversé Illyouchine d'Aeroflot dont la ressemblance avec le Concorde est, dit-on ici, pure coïncidence. Ce texte a pour titre *La roche monte, l'homme descend :*

> L'inerte exalte les hongres beautés de l'insensibilité apparente qui est lente frénésie minérale: du cœur ardent de la Terre, il rumine sa dispersion dans l'espace.
>
> Aucun sentiment n'est digne de la pierre autre que cette douleur de résistivité — électrique comme — à une pression indue. La pierre «pense», au moins.
>
> Je ne condescendrai qu'à une ascension au lichen.
>
> Un vent d'éternité hulule dans la pierre. La roche monte (excepté le fer), l'Homme descend. Le roc, sédentaire à nos yeux, pourtant voyage, inséminateur

flegmatique des sols beaucerons.

Sur le roc pousse la mousse, tendresse dernière de la
pierre. Au delà de cette délicatesse, gîte d'un dieu
épars en l'inanimé, se trouvent des merveilles dont il
faut user
avec une prudence toute parcimonieuse pour ne pas
enfreindre le Grand Ordre et sa suprême hiérarchie
géométrique.

Il y eut même, dit le géologue Paoustovski, tentative
contre-révolutionnaire d'animer l'inerte en territoire
turkmène, sous Lénine.

La solitaire dégradation de la roche devenue poreuse
dans un souci choquant de s'apparenter au sol, de
s'y démembrer en proie à tous les sévices, est chose
la plus émouvante qui soit.

Mais les cœurs de pierre ne pleureront pas, eux. Ils
sont tout à fait dépourvus de pathos antécambrien.
Bref, des chrétiens.

Ils mourront sans avoir reçu l'onction ultime de
Primalité.
Ils erreront dans les limbes de l'Ere Mammifère,
insensibles à toute grâce originelle.

Nous serons loin d'eux.

Avant qu'Alexeï ne sortit de sa torpeur méditative,
je lui expliquai nerveusement, de crainte qu'il n'ait compris, le sens de mon poème. Permettez que je le formule
dans les mots exacts que j'utilisai à ce moment-là, soit en
anglais :
    — *This text tries to recapture the Spirit of the
Earth, as John Cowper Powys puts it. He said that inert*

things are falsely called inanimate. I consider myself as a student in the Powysian love of the aboriginal earth-life older than vegetation, a fine statement of this British writer.

— Ne vous fatiguez pas, déclara Alexeï en me tapotant le bras amicalement.

Je sentis tout à coup l'inutilité de lui faire lecture du deuxième texte. Le regard d'Alexeï me disait quelque chose comme : Tout est dans tout. Phénomène curieux, au fil de ma lecture de *La roche monte, l'homme descend,* plus je lui révélais mon univers poétique et ses idio-syncrasies, plus j'avais la sensation, au début oppressante puis plus douce, d'être imprégné du grand mystère qui habite sa vie. Pourtant, j'aurais tellement aimé qu'il goûte directement en francais cette page intitulée *Arrachement et continuité,* qui s'ouvre ainsi : «Les retrouvailles russes ont toujours déchiré mon coeur d'enfant». Je parle aussi dans ce texte de l'isolement abitibien qui, couplé à la nostalgie russe, formèrent mon goût pour la démesure sentimentale. «J'ai eu mon arrachement russe: ces mem-bres d'une même famille que l'on jette aux quatre coins de l'Empire!»

Moscou, 1962

Le premier secrétaire du Comité central du Parti communiste de l'Union soviétique a tenu à recevoir personnellement Alexeï Borakov.

La filière habituelle et tout le protocole ont dû être bousculés d'une manière dont on a peu d'exemples dans les annales du Kremlin. La précipitation des événements a créé une confusion rarement vue à si haut niveau de l'appareil d'État. L'affaire devait demeurer un mystère «pur et simple» pour les gens des autres paliers de la hiérarchie (à l'exception, comme c'est toujours le cas en ce genre de questions, des quelques compétences techniques concernées), du moins à ce stade-ci des développements.

À la Noël, Alexeï était arrivé tout en guenilles, rachitique, le visage d'une «incandescence immaculée» — la traduction littérale, approximative, en serait plutôt: comme une plaque de fer chauffée à blanc. Le Tout-Moscou, le gratin de la Nomenklatura, en fut révolutionné! Au Kremlin même, on nageait dans l'incertitude la plus totale quant à la marche à suivre dans un pareil dossier. En tout cas, il avait été impossible d'empêcher la rumeur de circuler aux échelons moins élevés du pouvoir. Une fuite, très grave, était donc à craindre... Ayant contacté aussitôt le directeur de l'Académie des sciences, la Responsable des Requêtes Spéciales au Kremlin s'était vue répondre qu'après vérifications auprès du commandant de l'escorte militaire assigné au «Transfiguré» durant le sprint final, que le jeune homme se trouvait bel et bien en «mission d'État de toute première importance» (dixit le directeur de l'Académie) .

Alexeï Borakov avait traversé à pied, d'est en

ouest, la presque totalité du territoire soviétique. Pourquoi à pied? Alexeï n'a pas répondu directement à la question. Interrogé à ce sujet, il s'est contenté de laisser tomber cette phrase énigmatique : «Les saumons ne remontent pas la rivière en ascenseur...»

Agadorodonsk, 1963

> Dans une chambre spéciale située à l'étage des *pensionnaires* de l'Institut de recherche Pochlost Krasnyi, spécialisé dans les sciences bio-psychologiques et l'ESP (*Extra-Sensorial Perception*).

La suite de ce document constitue en substance la réflexion d'Alexeï Borakov, en ce soir pluvieux du 3 octobre 1963. On comprendra qu'il me soit impossible de révéler les sources par lesquelles me sont parvenues ces renseignements. Certains m'accuseront peut-être de naïveté mais je me permets d'ajouter que les possesseurs autorisés de ces informations ne prétendent aucunement être en mesure de conserver l'étanchéité parfaite du secret en cause. Pourquoi? Parce qu'en matière de renseignements on ne peut s'en remettre en toute sécurité qu'à la seule devise jésuite: *Perinde Ac Cadaver?* On pourra en deviner la raison à la lecture des paragraphes qui suivent...

Tout bien pesé, je n'aurais pas dû. Peut-être... Peut-être! Quel orgiaque tohu-bohu!... Euh, euh... Mais je n'y pouvais rien. C'est... euh... Ah oui, le camarade Premier ministre, non! Premier secrétaire a été très gentil avec moi. Il m'a même regardé en me parlant! Et il m'a souri, aussi. Avec un sourire paternel et bienveillant, comme si j'avais accompli une action d'élite, comme si j'étais un ouvrier exemplaire, de cette race qui a droit aux plus grands honneurs. Ta-ra-ta-ta, je suis un Super-Stakhanoviste! Ah ah ah!

Mais non, farceur, de poursuivre Alexeï en son monologue intérieur. *Ce n'est pas la chose réelle, LA CHOSE avec un grand C, bon! que j'avais supposément mission... oui, mission de lui apporter, euh disons apporter...*

Alexeï arrête de soliloquer, ici. A-t-il un trou de mémoire? Quoi qu'il en soit, recroquevillé à la manière d'un fœtus, il regarde les murs blancs de sa chambre ultra-moderne, comme cet immeuble d'ailleurs, dont il ne peut deviner les proportions... car il ne se souvient pas y être entré. La ville où il se trouve présentement, Agadorodonsk, possède en un périmètre relativement restreint la plus importante colonie d'intelligences supérieures, et même de génies, du monde entier. Il balaie la pièce de son regard de moujik ébloui par tant de symétriques et parfaites splendeurs. Puis, fatigué, il porte ses yeux vers le dehors. À travers la fenêtre très épaisse, faite d'une matière plastique qui lui est inconnue, il voit tomber une pluie qui ressemble maintenant de plus en plus à de la grêle. Malgré un sursaut de volonté, un soudain et douloureux effort, il ne réussit pas à voir plus loin. Ah, plus loin...

Oui, un scintillement! Un clignotement! O fidèle Compagne, ma force, ma vie! Toi ma Rei... Non, c'est impossible. Ça ne peut pas être Elle... Comme je m'endors tout à coup... Après un moment de somnolence, qu'il attribua, tout comme son état d'euphorie précédent, à une origine chimique quelconque, Alexeï saisit d'une main tremblante le rapport Très Confidentiel rédigé à son intention seulement qui lui avait été remis après le premier test, un test psychométrique concernant les «superstitions religieuses et phénomènes para-normaux». Le savant qui l'interrogea avec bienveillance toute la journée avait qualifié l'Affaire de — et je cite : «recherche du point de retombée psychique précis permettant de démontrer si, oui ou non, la possession de cette... icône, enfin de l'*objet vivant*, oui, si cet objet merveilleux*,* pour utiliser un langage primitif, aurait pu au cours de cette très longue Marche du Salut être porteur d'un autre message, mais à un deuxième degré pour ainsi dire, donnant ainsi la clé génétique (l'adjectif est bien impropre dans ce cas-ci mais les langues humaines évoluées ne possèdent pour le moment aucun autre mot pouvant nous fournir une idée précise, enfin, une quelconque idée de cette... Chose), donc, je continue : la clé génétique du message principal devant ultimement s'inscrire dans les fibres de continuité ou, si vous voulez, dans le Patrimoine de l'Humanité à partir de ce moment, c'est-à-dire CELA se perpétuant à la manière d'une *tradition orale* qui touche-rait chaque individu et l'espèce entière tout aussi intime-ment — le Tous Intime, comme l'a si bien formulé notre jeune poète — mais, un gros mais! ce data, disons, hiéro-phanique, produit de l'énergie cosmique ou... *divine* , est peut-être irrémédiablement perdu en vous, physiquement parlant, vous comprenez? et si vous ne redevenez pas celui que vous étiez auparavant, soit l'Absent Rêvasseur de Vladivostock, il est probable qu'ils ne vous désigneront jamais comme le grand responsable du dévoilement de la Parousie...»

Et la pluie devenue grêle qu'Alexeï contemple en se détournant avec soudaineté ainsi qu'en un ultime ressort moral pour calmer son angoisse, tourna à la neige comme celle qui suit la fin des émissions de télévision… Dans son cerveau épuisé par tant de ratiocinations et de coupage de cheveux en quatre… Il fit ses préparatifs, compliqués de médication, pour le coucher.

— Bof, je relirai la suite du rapport demain matin.

… Cette chambre est vraiment bien. Confortable, douce, la chaleur y est tellement bien tempérée, constante. Quand j'étais à Moscou, c'était formidable aussi. Du moins pour les quelques jours que j'y ai passés… Les professeurs, les cours étaient bons. Je savais pourtant que j'allais devoir partir, retourner dans l'est. À cause de cette sacrée boîte. Ouais…

Le vieil immeuble, cette maison de rapport où

j'avais ma chambre, soliloqua Alexeï, *me rappelait, je ne sais pas pourquoi, une histoire de Pouchkine. J'avais toujours la sensation que l'hiver m'attendait docilement dehors quand je touchais la rampe bien solide et pourtant très ancienne sculptée avec simplicité, une harmonie ingénieuse, et qu'à ce moment précis je partirais en sautant, dansant, chantant un hymne à l'hiver qui purifie tandis qu'un groupe de joyeux lurons et de filles délurées passent en troïka et m'embarquent avec eux en direction d'une isba solitaire aux jolis rideaux blancs de dentelle, aux édredons bigarrés où le rouge domine gaiement, et dans cette isba, bleue elle, on festoierait toute la nuit et tout le lendemain sans aucun répit. Cela se serait terminé, provisoirement, le temps de refaire un peu ses forces, autour d'un très rouge et merveilleux samovar sibérien rempli de ce vigoureux carburant des «parties» d'Europe de l'Est : vodka, café, pepsi. Il n'y a que les Polonais pour inventer un tel mix, un tel truc qui fait : boum!*

Vladivostock, 1970

Alexeï et moi étions devenus de vrais bons copains.

Le départ de notre délégation étant imminent, Alexeï tenait à tout prix à me faire un cadeau. De mon choix, s'il vous plaît! J'étais bien embarrassé. Mais une chose entre toutes me fascinait : les bottes mongoles, avec l'intérieur en beau feutre de la même qualité que celui dont on fait les yourts, ces tentes, véritables maisons, qu'habitent les nomades du désert de Gobi.

— *Da. For sure!* s'écria-t-il en un chaleureux, énorme acquiescement slave. D'ailleurs, poursuivit Alexeï, ils en ont au magasin où je travaillais il y a plusieurs années. Bonne occasion d'aller saluer mes anciens compagnons de travail. Je te parie qu'ils ne me reconnaîtront pas : j'ai beaucoup changé tu sais... Mais un jour, oui je le jure devant tout l'univers qui m'entend, Alexeï-le-poète retombera en... adolescence!

C'est avec fierté que je montai dans l'avion, mon précieux cadeau sous le bras. Je me retournai pour envoyer la main encore une fois à mon ami russe. Il avait les larmes aux yeux. Comme tout bon Nord-Américain, même si je suis ému, je me sens un peu gêné de tant de débordement sentimental. Puis, emporté par le flot des effusions slaves, je me mis également à pleurer.

Le lendemain, dès notre arrivée à l'aéroport de Dorval, ne pouvant résister un moment de plus, j'ouvris le paquet bien ficelé puis la boîte qu'il contenait. Elle était vide! Une petite carte gisait, bien seulette, au fond. Sur cette carte, un bristol élégant... trop chic pour avoir été fabriqué en URSS, étaient griffonnés les mots suivants :

> *SORRY, FOLK!*
> *See you next time.*
> *In...*
>   *Armaggeddon!*

J'accusai le choc au ralenti, à la manière d'un cosmonaute soumis à une très forte attraction gravitationnelle, contre laquelle il se débat, impuissant. Le voyage avait été fatigant; un ensemble de sensations hétéroclites se bousculaient dans mon cerveau jelloïsé par le décalage horaire, culturel et géographique. Comme paralysé, je n'éprouvai rien sinon le sentiment que *j'avais dû être* complètement estomaqué...

«Mais quoi! disait une petite voix lointaine dans ma tête, et tes bottes mongoles? Hein? Dis-moi qui a pu faire le coup, hein? Bon : tu arrives d'URSS. Mais... qui travaille contre l'URSS? Qui a intérêt à ce que tu ne saches pas ce qu'il y avait dans la boîte? Et, surtout, qui pouvait vouloir en subtiliser le contenu? La boîte ne contenait donc pas des «bottes», idiot! Il y avait autre chose que des bottes, mongol! Et cette... autre chose — pas besoin d'être journaliste pour le deviner — est forcément reliée, d'une façon ou d'une autre, au fameux secret d'Alexeï. Simple logique...»

Ouais. Je sais bien. Mais, contemplant et palpant le joli bristol, je me suis dis : Ce n'est qu'un mauvais rêve. Dans quelques jours, emporté par le cours de mes occupations habituelles, je n'accorderai plus d'importance à cette énigme. Ce qu'on ne connaît pas ne nous fait pas mal, comme le dit si bien le vieil adage...

Montréal, 1979

Je suis en train de feuilleter distraitement la *Litte-*

ratournia Gazeta dans l'appartement d'une amie soviétique, professeure de géologie à l'université de Montréal, quand je tombe tout à coup sur la photo d'Alexeï. «Hé! c'est lui!», m'exclamé-je, tout éberlué, en me retournant vers Olga. Elle était évidemment au courant de mon étrange aventure dans le Sikhota-Alin, à Vladivostock.

Lisant et me traduisant la légende de la photo — pendant qu'un sourire sardonique apparaît sur ses lèvres frémissantes et finement ciselées, d'un rose dramatiquement naturel —, Olga me déclare avec ce ton ironique et compliqué des immigrés de l'Est :

— On dit qu'il vient de recevoir le Prix Lénine. Pour la paix. Il a contribué au rapprochement entre les peuples, etc, etc, puis... le rappel obligé, rituel, de l'internationalisme prolétarien, etc, etc. Ah, mais j'y pense, la formule à la mode, aujourd'hui, c'est plutôt l'Amitié entre les Peuples, non?»

Avec une moue très curieuse, comme un reflet d'abîme, où s'agitent pêle-mêle les frustrations qu'elle a vécues dans son pays d'origine, Olga continue sa lecture. Puis : «Ah! Ah! Ah! elle est bien bonne! s'écrie Olga. Du jamais vu. Mais c'est la Révolution pour de vrai! L'article dit qu'après avoir reçu sa décoration, ton cher Alexeï s'est mis à chanter: Elle n'avait que vingt ans...! Puis, c'est bizarre, au deuxième vers de la chanson, il dit: Elle règne sur le monde! Qu'est-ce que c'...»

J'interromps Olga et lui lance avec une solennité légèrement teintée d'ironie :

— Ma très chère kamarade, cela veut dire — si tu me permets d'essayer d'expliquer de quoi il s'agit, puisque ce message est nécessairement codé, chiffré pour être plus précis — que la Révolution, comme tu le dis si bien, est non seulement commencée en Union soviétique mais qu'elle gagnera bientôt l'ensemble de la planète, Albanie compris! Nous n'y échapperons pas. Cette Révolution, du moins si ma supposition est fondée, sera la plus longue de toute l'Histoire... D'ailleurs, il n'y aura plus d'Histoire. L'Histoire n'est qu'un stade transitoire dans la vie de l'Humanité. La Révolution qui s'amorce ne relève pas comme telle de notre volonté, ou plutôt oui, en un sens, puisque nous participons d'une certaine façon, même passivement, de la Volonté Cosmique dont l'action se fait maintenant plus présente à nous.

— Qu'est-ce que cette maudite Révolution!? s'irrite Olga soudainement en proie à un énervement très-russe, c'est-à-dire accompagné de gesticulations furibondes.

Je lui réponds:

— Comme le disait Alexeï : *Only God knows.*

Se renfonçant avec dépit au fond du sofa, Olga prend une attitude d'abandon fatigué. Graduellement, elle semble s'engourdir et se laisse couler dans une manière d'alanguissement bovin.

Je me lève pour aller choisir un disque. Une idée un tantinet cruelle me traverse alors l'esprit. En voyant Olga bouder avec une mièvrerie grotesque, je pense que l'oblomovisme, cette mystique russe de la paresse, produit des résultats assez charmants lorsqu'il s'empare brutalement du corps d'une jolie Slave dégoûtée de l'inconnu!

Puis les carillons délicats du piano émergent doucement de l'enceinte acoustique. Nues, intemporelles, impérieuses pourtant, les harmonies du Maître se plient au plus parfait des caprices : le dépouillement. Les *Visions fugitives* de Prokofiev recouvrent de leur plainte nos deux silences.

Laurier Côté

Interview

Laurier Côté

Laurier Côté, si l'on en croit les registres civils, serait né en 1955, probablement par un soir de pleine lune... Depuis ce jour funeste, il tente de comprendre dans quel bordel on l'a foutu. Les gens intéressés à savoir comment il s'évertue à emmerder ses semblables peuvent toujours lui demander un exemplaire de son *Éveil d'un somnanbule*, Prix Marie-Claire Daveluy 1975. Poursuivant une démarche cahoteuse, il a fini par convaincre un éditeur (CLF) de publier un recueil de nouvelles *Je crée donc je suis* qui a failli remporter le Prix Esso 1986. Prépare un roman à paraître en 1988. Poursuit des études littéraires à Laval.

Interview

AVERTISSEMENT :

Les parenthèses, sadiquement distribuées dans ce texte, obligeront le lecteur qui tient malgré tout — on ne peut qu'être admiratif devant un tel héroïsme — à suivre le déroulement implacable, hallucinant, philosophico-cocorico-maxellhousien, terriblement indigeste de cette histoire, à des relectures continuelles. Cette gymnastique proposée par l'auteur s'intègre dans un vicieux plan d'amaigrissement intellectuel, dans un but humanitaire de diffusion d'idées corrosives ou loufoques ou les deux, l'identification et la digestion de celles-ci demeurent la responsabilité du lecteur; l'auteur — Ponce Pilate moderne — ne tient absolument pas à être tenu responsable des pleurs, grincements de dents, querelles de ménages, indigestions, voies de faits et agressions, exhibition-nismes, maux de têtes, rages de dents, apparitions diverses, délires — l'utilisation des condoms peut laisser planer un faux sentiment de sécurité mais nullement un avion en panne de carburant — internements en milieux psychiatriques ou autres réactions terrestres et extraterrestres qu'amènera inévitablement la lecture intégrale de cette interview historique placée sous l'égide d'un humour aussi dément et vitriolé que le permettent la Charte canadienne des droits et libertés, le budget de la Défense Nationale, la complicité de quelques olibrius un peu fêlés qui se réuniront peut-être un jour en un Front Rabelaisien des Ostrogoths Goguenards (F.R.O.G.). Espérons que l'on parviendra à faire libérer l'auteur de sa cage du zoo de St-Félicien — section primates — où, selon la dernière lettre qu'il nous a expédiée, les bananes, patates, oranges qu'on lui lance ont un arrière-goût bizarre. Peut-être réussira-t-on à le convaincre de les éplucher, avant de les manger.

* * *

Un homme entre dans l'un des innombrables *fast foods* d'une ville nord-américaine, plus précisément, entre les deux pôles, à gauche d'un salon de coiffure où l'on frise et défrise le ridicule (celui-ci ne s'en porte pas plus mal et la preuve irréfutable qu'il ne tue pas, c'est que j'écris encore).

Malgré la chaleur accablante qui liquéfie les gens au sol, (on essuie la graisse fondue continuellement) en ce milieu de juin, cet homme porte une tuque de laine ornée d'un énorme pompon rouge, un habit de motoneige, une ceinture fléchée et un gong chinois. Les gens se passent entre eux des commentaires discrets, en promettant de les rendre le plus tôt possible et s'enfoncent mutuellement les côtes de coups de coude; il y a de nombreuses fractures.

L'homme enlève ses mitaines doublées de fourrure et ses raquettes avant de lancer sa commande à une serveuse qui la relaie à une autre puis au gérant qui compte dans un filet désert. (Un lecteur m'a suggéré ici un but compté à l'aide d'une saucisse Lafleur. Après avoir passé plus d'un mois penché sur cet épineux problème, j'ai subitement réalisé que cela ne pouvait se produire puisque ce joueur de hockey a pris sa retraite. Cela me surprendrait qu'il accepte de jouer pour un *club-sandwich*. De plus, la présence d'une saucisse dans un hamburger pourrait provoquer des incidents diplomatiques et compliquer passablement une histoire qui, on le verra, l'est déjà suffisamment. Où irait le monde avec des idées pareilles? Que deviendrait le slogan de mon enfance, celui qui a bercé mes nuits d'indigestion, «Plus-de-gens-en-mangent-moins-elles-ont-le-goût-des-pêches»? Non! Renier un tel patrimoine culturel? Jamais!)

La première serveuse s'écroule sans avoir eu le temps de demander au client s'il voulait un chausson aux pommes. L'arbitre siffle pour arrêter le jeu mais quelqu'un le jette dehors puisque nous ne sommes pas sur une patinoire et que personne ne comprend très bien où l'auteur de cette histoire veut en venir. Chacun reprend son texte et on recommence au moment crucial où la serveuse note la commande du client entre deux hoquets, puis tombe dans un chaudron de sauce qui éclabousse tout le monde. (Il y a des plaintes à l'O.N.U. mais comme d'habitude, avant qu'on ne parvienne à les formuler, personne ne sait plus de quoi on parle et on décide de mettre ça sur le dos des Russes qui s'en moquent : quelques retombées de plus ou de moins...)

Baillonnée et ligotée sur une civière, un chien Saint-Bernard tout près, au cas où (le lecteur pervers qu'on a vu précédemment me suggérer une monstruosité, récidive ici en accrochant au cou du Saint-Bernard un baril de poutine! Mais oui... Incroyable mais vrai! Tout le monde sait pourtant que ces chiens transportent dans leur petit baril une reproduction en plastique du cœur du Frère André baignant dans de l'huile Mazola! Mêler un aliment aussi sacré que la poutine à... Je tremble devant une telle infamie! Il y a des gens qui ne respectent rien...), la serveuse est emportée à l'hôpital, par le gérant du restaurant, dans son *station-wagon* escorté par huit auto-patrouilles de la police. On a fait une halte en passant pour prendre une grosse bière et relaxer un peu (le lecteur peut en profiter pour en faire autant, ce n'est pas le moment de tomber en panne sèche).

114

À l'hôpital, on tenta vainement de stopper la crise aiguë qui devait brusquement frapper la jeune femme (après un bond sur le comptoir), à la vue de l'homme.

La serveuse s'éteignit (on se rendit effectivement compte que c'était une fausse blonde) sept heures après son admission à l'Urgence (en fait, elle était morte depuis quatre heures mais on ne s'en était pas aperçu, c'est le Saint-Bernard qui attira l'attention sur la morte en commençant à l'enterrer dans le parking, voulant la mettre en lieu sûr pour plus tard) sans avoir pu profiter d'un moment de tristesse libératrice, dans les affres horribles (un endroit à déconseiller aux touristes) et les spasmes nerveux engendrés par un rire aussi démentiel que contagieux.

Les médecins et infirmières de l'hôpital durent à maintes reprises se réfugier dans la lecture de comptes rendus de réunions syndicales ou de bilans financiers pour s'empêcher de sourire. Certains durent s'armer de *walk-men* et écouter des enregistrements des débats de l'Assemblée Nationale, ce qui est une mesure extrême démontrant hors de tout doute un courage et une détermination (habituellement ils vont ensemble dans ce genre de clichés usés) qui n'ont été égalés dans l'histoire que par les traducteurs des discours du pape et les téléspectateurs de la chaîne qui repasse «La petite maison dans la prairie» pour la xième fois.

Pendant ce temps, l'homme assis à une table mange ses hamburgers *all dressed* (ici, la confusion règne puisque l'homme et ce qu'il bouffe peuvent répondre à cet épithète tiré du *vulgaris anglishe,* langue adoptée par une certaine faune envahissante, de type grimpante, qui finira sans doute par recouvrir cette région de la planète qui n'a été épargnée jusqu'à maintenant que par l'utilisation massive d'insecticides religieux et par la présence diluée dans la masse informe de l'électorat, cette curieuse entité aux humeurs conservatrices, sans tripes, d'un vague projet folklorique d'indépendance nationale qui n'inté-resse plus que quelques irréductibles écologistes qui ten-tent encore de faire pousser des fleurs de lys) qu'une autre serveuse a finalement réussi à lui servir, sans rire. Elle est membre d'une secte religieuse, «Les Disciples Du Dernier Jour Avant La Remise De Votre Rapport d'Im-pôt» qui prônent l'auto-flagellation publique, la torture à la chandelle lors de pannes d'électricité, l'usage massif de drogues hypnotiques ou l'écoute de téléromans, selon les possibilités financières et l'endurance des adeptes, le suicide en cas de remboursement d'impôt, la nécrophagie et la marche à pied, ce qui a de quoi enlever le goût de rire à n'importe qui.

L'homme a regardé sortir la civière tout en avalant avec appétit, d'abord les contenants de carton recyclé, puis le contenu de ceux-ci.

Dans un coin, un faux-client (moi, je sais que ce type n'est pas entré pour bouffer, je suis l'auteur omni-scient, je suis le maître du monde, je suis... Heu... Par-donnez-moi! Je me laisse emporter... Aujourd'hui, ce

116

faux-client, demain le monde! Ajoutez un rire mégalo-
mane, quelques accords à l'orgue de la *Cinquième
symphonie* de Beethoven, dans une cathédrale vide, une
pincée de vapeurs sulfureuses, laissez mijoter jusqu'à
ébullition complète des neurones, attendez que le mélange
imprègne les imaginations, éclabousse l'espace, fasse
tomber les dentiers puis servez froid, sans sauce... Lé-
chez jusqu'au dernier effluve, rotez bruyamment avant de
demander aux autres convives s'ils sont prêts pour le
dessert...) qui est entré quelques secondes après l'hurluberlu, le client initial de cette abracadabrante histoire,
celui qui, n'ayons pas peur des mots, était habillé un peu
chaudement pour la saison (ne pas confondre l'hurluberlu
avec l'as-tu-la-berlue, variété locale de champignon
hallucinogène que consomment diverses personnes qui
ont l'habitude de gruger les balustres de nos églises. Ces
personnes affirment ensuite, lors de transes extatiques qui
les fait planer puis s'écraser dans les bénitiers, selon des
témoins dignes de foie de morue, qu'elles voient appa-
raître une dame en vêtement de jogging qui leur dit
d'aller courir le monde pour annoncer les derniers spéciaux de la pizzeria «Chez Tony». Ce dernier avoue que
depuis son voyage à Rome, il se passe des choses pas
catholiques dans son restaurant mais que ses affaires sont
florissantes : il pousse des pissenlits sur son comptoir et
ses tables), observe le dit hurluberlu tout en faisant sem-
blant de lire un journal local *Die Sprout Splashen
Quebecziflop* (une grande feuille de choucroute impri-

mée en douze langues pour être bien sûr que personne n'y comprenne quoi que ce soit) qu'il a déployé sur sa tête, tout en tricotant. (Faut le faire...!)

À un moment (plutôt qu'à un autre, l'auteur étant un sale opportuniste), quelqu'un (vraisemblablement une entité bipède de type humanoïde, les animaux n'étant pas admis dans ces lieux; si les gens commencent à amener leurs poules et leurs vaches pour consommer sur place, les restaurateurs courront à la faillite, la plupart d'entre eux n'étant pas assez en forme pour le marathon) lui fait poliment remarquer qu'il lira beaucoup mieux s'il place la dite feuille sur la table et dépose son tricot. (De toute façon, tricoter avec des baguettes de pool, c'est un art difficile qu'il n'est pas donné à tout le monde de maîtriser.)

La remarque est pertinente, plus d'un en aurait été gêné et serait parti en tentant une imitation de courant d'air pour sauver la face. Enlevant son masque de Ronald Reagan (une face de perdue, dix de trouvées), imperturbable, l'interpellé (aucun lien de parenté avec l'Interpol) répond, sans regarder le casse-pieds (indice sur l'origine ethnique de l'individu, puisque tout le monde sait que le casse-pieds est utilisé pour la chasse aux souliers vernis dans le métro de Montréal ou dans les endroits où les gens s'entassent assez pour permettre ce sport de plus en plus en vogue, variante moderne que l'on croyait, à tort, provenir de Chine mais qui fut inventée par des vendeurs itinérants dont l'espèce, heureusement en voie de disparition, a tant terrorisé nos villes jusqu'à ce qu'on commence à piéger à la dynamite les portes de nos résidences).

— Mêle-toé donc de tes affaires, stie! Y a pas moyen de lire comme on veut astheur? (On peut traduire cette phrase, vestige d'un idiolecte qu'on tente encore de faire passer pour une langue, par une autre phrase tirée d'un autre idiolecte aussi débile : «Va te faire enculer pauvre mec! Et ta sœur elle va bien?» Ce qui est tout aussi inintelligible pour un non-initié et m'amène à certaines questions métaphysiques sur la pertinence existentielle de l'essence de ma parenthèse : est-ce du sans-plomb ou du super?)

— Puis-je m'asseoir à votre table? poursuit l'importun. (Remarquez qu'il aurait pu demander de s'asseoir «dessus», ce qui trahit ici — puisqu'on y est, autant y rester — une rigueur intellectuelle, une logique qu'il est étonnant de retrouver intacte, pratiquement vierge de toute contamination schizoïde, en ces pages où le bon sens cherche encore une carte routière qui lui indiquerait la sortie.)

— J'veux pas être grossier mais... (Un peu de retenue, il y a peut-être des enfants qui lisent ceci en cachette.)

Il enlève la tête de sous son journal (plutôt que de lever celle-là de celui-ci ce qui m'aurait épargné des migraines) et se rend compte que c'est l'hurluberlu (Mais oui, ce «quelqu'un» qui est devenu un «importun» n'était en fait que ce triste hurluberlu! Il ne faut jamais se fier aux apparences! Un jour, une apparence avec un grand sourire fendu jusqu'aux oreilles et une solide poignée de main, avec un habit taillé sur mesure et une cravate assortie, m'a emprunté ma femme pour aller à une réunion syndicale et ne me l'a jamais rendue... Je ne me fie plus aux apparences, pas même à la mienne.) qui est à côté de lui, le visage hilare (caractéristique des habitants de Saint-Hilarion, bien connue des ethnologues dignes de ce nom); il a abandonné ses vêtements et ne porte plus qu'un minuscule costume de bain rose avec des pois bleus (ou l'inverse si l'on est daltonien).

— C'est plus frais... dit l'hurluberlu, en prenant place à la table du faux-client qui laisse tomber son tricot, ses baguettes, sa montre, ses lunettes et une casserole en fonte qu'il portait en médaillon, en souvenir de sa grand-mère. (J'aurais pu vous raconter la merveilleuse histoire de cette grand-mère unijambiste qui se prenait pour un héron mais ce serait peut-être abuser de la patience du lecteur qui, je le sens, souhaite vivement qu'on en vienne au vif du sujet au plus sacrant... Mais n'oublions pas qu'il ne faut rien précipiter, surtout pas soi-même, lorsqu'on est au bord d'un abîme. C'est un peu ainsi que je me sens en ce moment, alors que je vais basculer, sans espoir de retour dans le gouffre effrayant qui m'aspire au fond, vers l'implacable aboutissement de cette histoire. Ne lancez rien, on continue!)

— Maintenant, vous allez me dire pourquoi vous me suivez depuis trois jours... reprend l'hurluberlu, souriant, ce qui détend l'atmosphère. (Il tombe même une petite averse dans le restaurant et tout le monde est mouillé et détendu, même si on est un peu surpris que l'eau tombe à l'intérieur d'un restaurant et que cette eau soit mauve.)

Le faux-client frissonne et la peur se lit sur son visage. (Quelqu'un qui ne lit que le braille aurait vu que l'homme avait une subite éruption d'acné et son odorat l'aurait renseigné sur ce que venait de lâcher cet homme dans son pantalon.)

— Vous avez froid? Je peux aller chercher l'habit de motoneige que...

— Non merci... Le faux-client est mal à l'aise. (Il n'a pas de pantalon de rechange.)

— Lundi, que faisiez-vous sous mon lit d'eau? Mardi, dans ma baignoire? Et ce matin encore, dans le fond de ma piscine? demande l'hurluberlu.

— J'aime l'eau... (Ce qui est totalement faux puisque la seule vue de l'eau le fait entrer dans une crise hystérique pendant laquelle, il crache et bave en blasphémant contre les pompiers. Ce comportement irrationnel origine d'un incident qui s'est produit lors de son enfance. Sur une plage, des gamins l'ont intégré dans la construction d'un château de ciment à séchage rapide. Les pompiers ont réussi à le sortir de sa fâcheuse posture trois marées plus tard; ils éloignaient les requins en leur lançant des sacs de sang de la Croix-Rouge.)

— Ça n'explique pas que vous pilotiez l'avion qui m'a amené dans ce pays et conduisiez le taxi qui m'a déposé ici!

— Pure coïncidence! rétorque le faux-client retors. (Des généticiens pourraient s'interroger ici sur la pureté de race de cette Coïncidence. Disons que la mère était un pur hasard d'une famille pauvre en thèmes mais riche en imagination, ce qui ne remplit pas régulièrement un réfrigérateur mais procure certaines joies solitaires. La mère était une vraie salope qui couchait ses écrits un peu partout, en clamant bien haut la liberté d'expression et faisait partie du Front de Libération Cutané (F.L.C.). Impopulaire chez les chauves et les chauvins, ce groupe a un certain succès chez les étudiants qui ont effectivement le cul tanné, de même que chez certains artisans du cuir qui voient là un débouché pour leurs produits. Il a un succès monstre chez les nudistes, les propriétaires et usagers de salons de bronzage de même que dans les bars de danseurs-danseuses nus. La nymphomanie notoire de cette garce attira nombre d'ennuis à son époux qui finit par l'enfermer entre deux couvertures d'où elle ne sortit que pour accoucher d'une horrible Coïncidence. À la vue de l'enfant, la mère se suicida en avalant une critique nauséabonde qui traînait, négligence dont se réjouit le veuf qui passa ensuite le reste de ses jours avec une petite ambiguïté dont il s'accommoda fort bien. Étant un Hasard fortuit, il sut profiter de la vie et revit souvent sa fille qui, bien que laide extérieurement, cachait une richesse sémantique qui échappa à plus d'un observateur distrait mais réjouit plus d'un lecteur attentif.)

— Je ne voudrais pas avoir à employer des méthodes plus radicales pour vous faire..., commence l'hurluberlu.

— J'avoue!

— Bon! Mais encore...? Il est bon de dire que l'on avoue, mais il faut que l'on avoue quelque chose sinon ce dialogue est complètement stupide et le lecteur risque de ne plus s'y retrouver! dit l'hurluberlu. (L'auteur approuve et pousse un soupir de soulagement.)

—... (Ce qui prouve que ce salopard de faux-client n'a pas appris son texte et que je devrai lui botter le derrière s'il ne fait pas plus d'effort! A-t-on vu un personnage d'histoire plus insignifiant, plus...)

— J'attends la suite! dit l'hurluberlu. (Merci, j'allais me fâcher... Voyons si l'autre va réagir...) Naturellement! Lorsqu'on engage n'importe qui, il faut s'attendre à tout, même à rien! (De quoi il se mêle celui-là? Qu'on revienne au texte ou je ne reponds plus de rien!)

— On pourrait peut-être improviser? J'en ai perdu un bout, un trou de mémoire... Je m'excuse... avoue le faux-client (Au point où on en est...)

— Heu... Je ne sais pas moi! Je ne suis pas l'auteur! rugit l'hurluberlu. (Tout débute toujours par une question d'identité! Lorsque l'on sait qui on est, on peut...)

— Je suis reporter au «Sun Indigest»! (Voilà! On avance dans la bonne direction! Tout n'est pas encore perdu!)

— Vous voulez une interview? demande l'hurluberlu (C'est ça! Vous y êtes! On a repris le fil!)

— Heu... si ce n'est pas trop vous demander, dit le journaliste. (Non, non, il n'y a pas de problème, vous êtes tous les deux là pour cette raison précise!)

— Il n'en est pas question! Je n'ai pas le temps! dit l'hurluberlu. (Quoi? C'est le monde à l'envers! Qu'est-ce que je vais faire moi si cet imbécile ne joue pas son rôle?)

— Pourtant vous... (Insiste! Allez! Du nerf!)

— Je ne sais pas... Je ne veux pas qu'on me photo-graphie! (Avec la gueule qu'il a, ça se comprend, j'aurais dû demander à Clint Eastwood...)

— C'est que... Je n'ai pas d'appareil-photo... L'auteur n'y a pas pensé... En fait, je n'ai que quelques questions à vous poser avant le dénouement de l'histoire... C'est important, il y a un tas de gens qui attendent la suite... si vous ne vous décidez pas, on risque d'être dé-chirés et envoyés à la poubelle par l'auteur! (Pas si bête après tout le bougre... Il s'en sort assez bien... Je n'aurais pu faire mieux moi-même...)

— Vous êtes convaincant. Je veux bien vous accorder quelques minutes. (Mais il est revenu au texte!)

— Merci. (Lui aussi! Serions-nous en train d'assister à un miracle? À bas ces superstitions! Croisons-nous les doigts...)

— Vous voulez qu'on parle de mon boulot ou de ma collection de cactus? dit l'hurluberlu. (Bon ben, je vous retrouverai plus loin, on est sur la bonne voie.)

— Il y a longtemps que vous faites ce... travail? demande le journaliste.

— Depuis le début.

— Depuis le début de quoi?

— Savez-vous bien à qui vous vous accrochez depuis trois jours?

— En fait, cela fait trois mois que... Je sais qui vous êtes depuis le début...

— Le début de quoi?

— On tourne en rond... (Ils ont repris le texte intégral, je peux maintenant intervenir sans trop influencer le déroulement de l'action. Ici, «tourner en rond», peut sembler un pléonasme puisqu'on ne peut pas tourner autrement, me diront quelques puristes. À cela je réponds par une question : si vous marchez dans une salle carrée en longeant les murs, est-ce que vous tournez en rond? Bon. En attendant que certains répondent à cette énigme du Sphynx, dans ses meilleurs jours, continuons l'histoire, on n'a pas que ça à faire...)

— Si on repartait sur des bases plus solides? demande le reporter.

— Je veux bien.

Ils se tendent la main, le reporter frissonne à nouveau.

— Sam Écœure.

— Moi aussi, croyez-le bien.

— Non! C'est mon nom! Je suis Sam Écœure, journaliste!

— Ah! Et moi...

Le faux-client regarde en l'air...

— Qu'est-ce qu'il y a? demande le journaliste (l'auteur est inquiet.)

— Où sont les effets spéciaux? Lorsque je dis mon nom, il doit y avoir un roulement de tambour et un claquement de cymbales! (Boum badaboum boum boum! Clang!) J'ai déjà entendu mieux! (Je fais ce que je peux...) Enfin, puisqu'il faut s'en contenter... Poursuivons les présentations! Moi, je suis... (Boum badaboum boum boum! Clang!) Je suis... (Boum badaboum boum boum! Clang!) Assez! On ne s'entend plus répliquer! (Branchez-vous! Moi, je fais ce qu'on me dit de faire et...) Silence! Je suis La Mort, frein démographique, l'inévitable, l'ultime échéance, le dernier frisson, selon que vous soyez poète ou non, en phase terminale ou non, mais on ne s'encombrera pas de tout ça entre nous, appelez-moi simplement Mort. Je n'ai pas l'habitude de ce genre de choses mais je vais essayer de...

— Quelle vie vous menez! s'exclame le journaliste en sortant un calepin, un crayon, une clé anglaise et une tronçonneuse de sa poche de veston.

— Je n'ai pas le temps de m'ennuyer! Et on dit que l'ennui c'est mortel! Jamais une journée de congé! Je ne me plains pas! J'adore mon travail...

— Ce qui a compliqué mes recherches, c'est que vous avez une apparence masculine... Je croyais... enfin... quand on a comme nom La Mort...

— Je ne suis pas sexiste.

— Avez-vous toujours existé? Avez vous droit à l'assurance-chômage? Avez-vous des caries? Des problèmes?

— J'ai eu des ennuis avec le M.L.F. Depuis que j'ai changé de sexe, elles me laissent tranquille, je reposerais en paix, si j'avais le temps! Mais les hommes me donnent beaucoup de travail... Je fais continuellement du temps supplémentaire depuis qu'ils ont tué Dieu. (On aborde des terrains vachement métaphysiques, ceux qui en ont peuvent tout de suite enfiler leur camisole de force, les autres, mettez des briques dans vos poches, ça peut toujours servir.)

— Dieu? (Léger tremblement de la lèvre supérieure, une mouche venait de se poser sur son genou. Elle l'agaçait car elle lui rappelait un défunt patron qui... enfin bref, aucun rapport avec l'apparition soudaine de Dieu dans ce récit, ce qui ne surprendra personne.)

— Vous ne savez pas qui c'est?

— J'aurais bien aimé le rencontrer! J'avais une ou deux choses à lui demander... Quand est-il…?

— Il est presque mort à Auschwitz, il ne s'en est jamais remis complètement. À Hiroshima, il a perdu ses dernières illusions. L'an dernier j'ai dû aller le chercher après qu'il eut fait une tournée des centres de recherches militaires, il délirait, il voulait même se mettre à écrire!

— On ne peut tomber plus bas...

— J'ai dû l'achever.

— Comment ça s'est passé?

— Quand il m'a vu entrer dans son bureau sans cogner, il a compris... Il a eu un dernier soubresaut, une éclaircie de lucidité, m'a demandé le temps qu'il faisait en Floride... J'ai hésité... C'était le patron de la boîte! Ça n'a pas été facile de l'emmener...

— Il ressemblait à qui, à quoi?

— En dernier? Une vraie pitié de voir ça... Il n'a pas toujours été aussi... Ah! Si vous l'aviez vu jadis! Il était vraiment impressionnant... («Après une guerre nucléaire, les sceptiques seraient fondus», dixit : Capitaine Bombehomme.)

— Quand il est mort, il...?

— Bof... La barbe tachée de sauce tomate, mal habillé, il se laissait aller depuis une quarantaine d'années... Il avait de mauvaises fréquentations et faisait jouer du *Heavy Metal* au paradis! Il allait en enfer virer des foires à faire damner les archanges... On raconte qu'il était très dépressif parce qu'il n'avait pas eu la chance d'avoir un complexe d'Œdipe, comme tout le monde. Il ne voulait pas venir avec moi dans le néant, sans emmener sa discographie complète de *Pink Floyd,* ce qui est strictement défendu.

— Pourquoi?

— Y a rien dans le néant. (L'apparente évidence de cette dernière affirmation pourrait troubler les âmes sensibles et amener des gestes irréparables. Qu'on se console cependant en songeant aux bons moments qu'il nous reste encore à passer avant d'aller en cet endroit malsain dont nous avons une petite idée en assistant à certains cours universitaires ou en regardant ce qui nous reste dans les poches à la fin de l'année.)

— Quelles ont été ses dernières paroles?

— Burp... Gngngn... Ahhhh…

— Avant?

— Il disait qu'il était éternel, il ne voulait pas mourir. Dans le fond, c'était un grand farceur... Il était même prêt à venir s'occuper un peu des humains, lui qui n'a jamais levé le petit doigt pour eux! J'ai ri pendant un an! Il était acculé au pied du mur, il aurait promis n'importe quoi à n'importe qui, comme un vulgaire politicien! Il était tombé vraiment bas... Tout de même, vous auriez dû entendre la dernière qu'il m'a poussée, juste avant de...

— Qu'est-ce qu'on va faire maintenant? (Question que se posent aussi un tas de gens en voyant qu'ils ont laissé les clés dans leur véhicule en marche, les portes verrouillées.)

— Qui va faire quoi?

— Qu'allons-nous devenir maintenant que Dieu est mort? (Si vous voulez des suggestions, mesdames, je suis disponible, pas laid, intelligent et libidineux. Les hommes peuvent essayer de pondre un œuf, ça passe le temps.)

— Ce sera comme avant! Que voulez-vous que ça change?

— Je croyais que vous pourriez me dire ce que...

— Ce n'est pas mon travail! Tout ce que je peux faire, c'est de vous suggérer une mort particulière, je les connais toutes... J'en ai de superbes! Là au moins, y a encore moyen d'innover! (Pour les morts individuelles, l'initiative privée n'est jamais à court de raffinements. Pour les morts en groupes, plus spectaculaires — mais avec certains inconvénients majeurs puisque vous pouvez par hasard vous retrouver dans un lot de massacrés ou dans différents bocaux remplis de formol avant qu'on ait pris la peine de vous demander la permission d'utiliser vos organes pour faire avancer la science — il faut faire confiance à l'imagination de ceux qui travaillent pour les militaires afin de créer de nouvelles techniques ou perfectionner celles qu'on a déjà, dans le but écologique d'empêcher l'homme de détruire son environnement, en éliminant celui-ci de la surface du globe. Il y a de l'avenir dans le génocide!)

— Non, ce n'est pas ce que je voulais dire…

— On va être obligés d'accélérer un peu… J'ai un client à aller faucher et Dieu — oh pardon! — personne ne sait quand je pourrai le ramasser ensuite…

— Justement… qui va décider de votre horaire?

— Pourquoi je me gênerais maintenant? Le vieux était pointilleux sur les heures supplémentaires! Il laissait traîner les choses, n'était jamais pressé, laissait vieillir les gens, un vrai scandale! Moi, il faut que je pense à ma retraite! J'aime les temps morts... Je vais donner un grand coup pour qu'on en finisse une fois pour toutes! Je suis en train de mettre certaines choses au point pour que…

— Je ne tiens pas à en savoir plus long! Je vous remercie pour cette entrevue, au nom de mes lecteurs qui…

— Sam Écœure… Sam Écœure… Votre nom me rappelle quelque chose… Un moment, je vais me rafraîchir la mémoire…

La mort prend le journal et regarde la rubrique nécrologique. «Ça me dit où j'en suis, c'est très pratique.

Quand je n'ai rien au programme, je prends quelqu'un au hasard dans l'annuaire téléphonique. Parfois, il me faut être très créatif! Vous avez vu aujourd'hui? Je savais qu'elle ne pourrait pas résister à ça.»

— ...

— Hum... Il faudra que j'augmente les coupures dans la couche des quarante-soixante, on est en baisse, dans la région... Heureusement que je balance avec les enfants du Tiers-Monde, quelques attaques terroristes, des conflits armés dans le Moyen-Orient, en Amérique du Sud, en Afrique, sinon je ne bouclerais pas souvent mes fins de mois...

— Vous êtes seul pour...?

— Voyons donc! Comment pensez-vous que j'ai réussi à travailler jusqu'à maintenant? J'ai le don d'ubiquité, en plus de savoir danser à la claquette, de... Ah! Je me souviens maintenant je savais que votre nom me disait quelque chose... C'est pour demain!

— Qu'est-ce qui est pour demain? Le reporter se lève et recule vers la sortie (qui sert également d'entrée, exactement comme chez quelqu'un qui a trop bu).

— Voulez-vous qu'on en finisse tout de suite, pendant que je vous ai sous la main? Cela me permettra d'épargner sur les frais de transport...

— Il doit y avoir une erreur...

— Je fais parfois des erreurs mais quelques années de plus ou de moins... Quelle importance? Mes clients ne peuvent revenir se plaindre! (La mort n'a pas de service après vente! Qu'on se le dise! Voilà une raison pour la boycotter, sans parler de son manque flagrant de savoir-vivre, de son goût morbide des cadavres qui devrait suffire pour qu'un jour on se décide enfin à se priver de ses services et la retourner à l'expéditeur, à frais virés. Ne vous fiez pas à la publicité de fanatiques qui vendent une espèce de Club Med paradisiaque, dans un au-delà hypothéqué à des taux usuraires! Il est maintenant prouvé — Le type qui m'a renseigné était en pleine crise de délirium tremens mais je me fie à son apparence soignée, son attaché-case en fausse peau de crocodile, son habit de confection de tweed sénégalais, ses cheveux courts et sa carte du Parti Pris néo-rhinocérocien — qu'ils n'ont même pas de bains sauna ni service de réparation de télévision! La fin de semaine, ça ne vaut pas le déplacement, personne ne veut aller donner de show dans ce bled… pas même Jean Roger ou La Poune, c'est tout dire! Exigez une visite d'inspection préalable et vous verrez la réaction de vos vendeurs qui vous menaceront d'enfers sulfureux, de balayeuses, d'encyclopédies en quarante-huit versements ou pire, vous traiteront d'athées. Lorsque vous aurez fini de rire de leurs vaines tentatives, restez calmes et réagissez intelligemment, sortez-les de votre domicile à coups de pieds au cul!)

«Je vais vous accorder un privilège, tiens! Je me sens généreux aujourd'hui! Vous voulez mourir comment? Je vous laisse le choix! Debout? Assis? Doucement? Violemment? Avec du sang partout ou quelques gouttelettes aux commissures des lèvres? Si vous le désirez, je pourrais trouver quelque chose de spécial mais le résultat sera le même. Certains aiment partir en beauté, il y aura toujours des esthètes! Cela rompt un peu la monotonie de mon travail... Si vous ne voulez pas attirer l'attention il y a le Sida mais c'est devenu tellement commun, banal, ça manque d'anticorps, je ne le mentionne qu'en passant...» (Je lance bientôt une campagne qui aura comme cri de ralliement : «Pourquoi pas une banane?» J'espère que les intéressés comprendront ce slogan qui s'intègre dans la guerre que l'on mène contre le Sida.)

Le journaliste recule toujours vers la sortie (en fait, il exécute un pas savant à mi-chemin entre le menuet et le charleston. Quelques personnes applaudissent et lancent des pièces). «Bon... Si vous voulez, je peux...»

— Je ne veux pas mourir! (On ne peut qu'admirer la réaction de cet homme. Ceux qui n'approuvent pas repartent à la case départ, ne passent pas «Go» et peuvent se mettre les doigts dans le nez si ça leur tente, on s'en fout. Il faut toujours reculer le paiement de cette facture finale, surtout si on n'a rien d'autre pour l'acquitter que sa propre vie et que les seuls êtres qui pourraient éventuellement profiter de ces dépenses appartiennent à la famille des lombrics. Attendez qu'on vienne vous saisir chez vous, bien tranquillement et lorsque la mort viendra réclamer un remboursement pour perte de jouissance de vie et non respect d'une clause liminaire au paragraphe des indexations, aliéna des engagements post-nataux — foutez le camp pendant qu'elle essaiera de se démêler dans ce fouilli inextricable — ou envoyez-la chercher des cigarettes et prenez le premier avion.)

— Qui le veut? Soyons sérieux! Alors, c'est oui ou non? Une journée de plus ou de moins...

— Comment dois-je mourir demain?

— Si je vous le dis, vous devez mourir maintenant.

— Alors si vous le dites, ça devient un mensonge puisque je ne mourrai pas demain mais maintenant... (Attitude saine devant la Mort. Si vous arrivez à la mêler suffisamment, elle pourrait partir avec votre concierge.)

— Ne jouez pas sur les mots, j'ai horreur de ça!

— Je veux savoir!

— Vous avez raison, pourquoi attendre demain... Vous deviez être empoisonné par votre femme.

Le reporter suffoque, la Mort s'approche rapidement.

— Une crise de cœur? Une attaque d'apoplexie? Je n'ai rien contre. Laissez-vous aller!

Le reporter reprend son calme qui était tombé de sa poche.

— Non.

La Mort est déçue.

— Tant pis... Cela aurait été si simple...

— Je sais comment je veux mourir.

La Mort rayonne de joie, les gens en sont aveuglés pendant un moment, le reporter met ses verres fumés.

— Bravo! On ne perdra pas notre temps à éplucher le catalogue! Quelle mort choisissez-vous?

— Je peux prendre n'importe laquelle?

— Vous aurez satisfaction, je n'ai qu'une parole!

— Je veux mourir de tristesse, après vous avoir vu mourir.

— ... (Kin toé! dirait l'un de nos célèbres philosophes, dont le succès foudroyant auprès des foules nous donne une autre éclatante démonstration du génie humain qui ne s'embarrasse pas toujours d'un vocabulaire élaboré et tend par souci de concision et d'efficacité à se rapprocher des onomatopées que se lançaient nos ancêtres simiesques.)

— Je ne veux pas mourir, autrement. Sans moi, la vie ne serait plus la même...

— Vous êtes un petit rigolo...

La Mort s'éloigne rapidement en rageant de dépit.

Sam pousse un soupir de soulagement et un type qui lui marchait sur les pieds.

— Il y aura un petit changement sur son horaire de demain. On est justement en train de couler le béton du nouveau pilier du pont... La Mort n'aurait pu trouver mieux pour ma femme. (Le lecteur ne doit pas voir ici une suggestion pour régler ses problèmes conjugaux, ni une incitation particulière à la violence; avant d'en arriver là, consultez votre vétérinaire ou gardez le lit et buvez beaucoup de liquide — de l'eau, de préférence — ça ne réglera pas vos ennuis mais votre rhume passera plus rapidement. Ceux qui n'ont pas le rhume, prenez vos autres maux en patience en songeant que cela aurait pu être pire mais que les législateurs, dans leur grande sagesse, ont interdit la bigamie.)

La Mort s'arrête et se tourne vers moi.

— Alors? Satisfait?

— Oui, dis-je.

Sam, le journaliste, s'approche.

— Je m'en suis bien sorti, hein Boss?

— Oui, redis-je.

La Mort regarde Sam, haineuse puis feuillette un calepin... Sam me salue en clignant de l'œil et repart en courant vers d'autres histoires que je n'ai pas encore imaginées et qui attendent patiemment de naître...

— Vous savez, je ne suis pas réellement le personnage d'histoire que vous croyez..., dit La Mort en parcourant toujours son calepin.

— ...

— C'est bête, je me souviens d'avoir vu votre nom quelque part et je...

Je ne lui ai pas laissé le temps de terminer sa phrase ni de retrouver mon nom. Une simple rature, puis j'ai ajouté quelques lettres avant le point final et j'ai renvoyé la Mort-aux-rats.

Charles Manigat jr

Bahbar aux enfers
suivi de :
Bahbar face à la dichotomie dialectique

Charles Manigat jr.

Né à Port-au-Prince (Haïti) en 1962, **Charles Manigat jr** détient un baccalauréat en économie de l'université McGill et étudie présentement en administration à l'université de Montréal. Écrivain peu prolifique, il a publié exclusivement dans les pages de la revue *L'écrit primal*, d'où d'ailleurs fut extraite la première des deux nouvelles qu'il nous présente ici.

Il a été dit de Charles Manigat «qu'il écrit principalement pour faire réfléchir ceux qui le croient fou» — hypothèse tout à fait plausible, s'il en est une, surtout à la lumière des nouvelles suivantes, mais qui ne saurait à elle seule expliquer pleinement les délires «sous-réalistico-historiques» de Manigat. Le fantastique absurde, la satire sociale, l'uchronie et un humour grinçant s'entremêlent dans un amalgame hétéroclite de tons et de couleurs qui pourrait être interprété comme une preuve du génie de l'Auteur. Ou de sa folie. À moins bien sûr que tout ceci ne soit une simple farce. Mais aux dépens de qui?

Publications dans:

L'écrit primal # 1,3

Bahbar aux enfers

dédié à Sam.

Les poules sont la seule manière que les oeufs ont trouvée pour faire plus d'oeufs.

Samuel BUTLER

«Il y a de ces soirées d'été, tôt dans la saison...

«Je disais donc : il y a de ces soirées, quand le sommeil ne vient pas, quand le poids des sept péchés d'Israël, des quarante mille victimes de Nagasaki et des quarante millions d'esclaves morts durant les traversées transatlantiques devient trop accablant...

«Il y a donc de ces soirées où il est nécessaire de faire autre chose que se coucher sur le dos ou sur le côté. J'avais compris cela. Voilà pourquoi je décidai d'aller peindre des obscénités sur les murs du Palais Royal. N'ayant qu'un petit contenant de peinture rouge, je me trouvai un tant soit peu limité dans la quantité de mes écrits. Le mot *merde* me vint à l'esprit et je m'empressai d'en décorer la façade. Il avait fière allure et exprimait bien mon profond dégoût envers ce qui fut et tout ce qui était.»

Ainsi parla l'Oncle, voilà ce qu'il me dit un soir, très tard. Un soir sans lune, un soir sans vent. Il frappa à ma porte, j'ouvris. Nous nous assîmes et il me confia qu'il avait peur, qu'il devait partir, fuir ce royaume, cette ville. Cette vie. Nous bûmes alors toute la nuit, jusqu'à l'ivresse, jusqu'à ne plus savoir. Nous pleurâmes toutes les larmes de nos corps. Des larmes de malheur, de haine. Il s'en alla. Je le regardai s'éloigner en longeant les murs, cherchant la pénombre. Son image finit par s'estomper, comme s'estompe une ombre quand vient l'orage.

Je suis resté derrière, pour observer, pour voir. Pour savoir.

* * *

Au bout du petit matin, le pays s'éveilla en pleine crise.

Une foule amassée devant le Palais Royal cherchait à voir. Sur l'un des murs, un charabia avait été peint en rouge. On aurait bien voulu en connaître la signification. Certains voyaient là un métalangage; d'autres, à qui l'érudition ne faisait point défaut, affirmaient volontiers qu'il s'agissait d'une langue hittite et que l'auteur souffrait de rhotacisme latent.

Le Souverain arriva enfin pour constater les dommages. Suivi de sa cour, il s'approcha de l'endroit du crime:

— Que signifient ces hiéroglyphes? Que l'on appelle mes hommes de science tout de suite; je veux que cela soit déchiffré.

Le Chef de la garde avait cru bon de disperser la foule, afin que son Altesse et ses conseillers puissent analyser la situation à tête reposée.

— Vous nous avez fait appeler, Sire? firent les deux hommes de science.

— Oui, je veux connaître le sens de ce charabia.

— Voyons donc cela, dit le premier homme de science en avançant vers le mur. C'est du turc. Oui, c'est bien du turc.

— Non, s'objecta son confrère, ce n'est pas du turc mais bien du turc d'ailleurs.

— Non, du turc, soutint le premier, car en turc d'ailleurs le Q devient un Z devant R.

— Possiblement, admit l'autre, mais quand le Q est précédé d'un W, il devient un N. Donc, c'est du turc d'ailleurs.

— Non, du turc!

— Non, du turc d'ailleurs!

— Alors? s'impatienta le Roi.

— Du turc d'ailleurs! intervint une voix derrière eux.

Il y eut un silence. «C'est du turc d'ailleurs, Majesté!» répéta la voix qui appartenait au Chef de la garde.

— Comment, Chef de mes gardes? Tu n'es pas homme de science et tu peux différencier le turc du turc d'ailleurs?

Les sophistes du royaume eurent vite fait de conclure, par $a + b,$ que puisque le Chef de la garde comprenait le turc d'ailleurs, il devait nécessairement être l'auteur du charabia. Un procès fut donc ordonné afin de décider de son sort.

Le conseiller Bouki agissait en qualité d'avocat de la Couronne et le Roi était à la fois juge et jury. De son fauteuil au premier rang, le bourgeois Caligula se proclamait représentant du peuple.

Les invités laissaient paraître leur anxiété. L'avocat Bouki, debout au centre de l'assemblée, brandissait un livre.

— J'ai ici un ouvrage écrit par le Chef de la garde sur lequel j'aimerais attirer l'attention du Tribunal.

— Comment, Capitaine de mes gardes ; tu n'es pas écrivain et tu écris? s'étonna le Roi. N'aurais-tu pas un problème?

— L'ouvrage en question s'intitule *Si Jeanne Mance était pucelle,* continua Bouki.

— Quand je suis né, ma mère était pucelle et après mon mariage, ce fut à mon tour d'être pucelle, déclara Caligula sur un ton très convaincant.

— Je disais donc : *Si Jeanne Mance était pucelle!* reprit l'avocat, cette fois plus ferme.

— Qui est donc cette Jeanne Mance? s'enquit son Altesse.

— Souvenez-vous, Sire ; il y a quelques mois, nous l'avons fait pendre.

— Ah oui, je me rappelle.

— Si la Cour le permet, je vais poursuivre, enchaîna alors Bouki en ouvrant le bouquin à la première page pour y lire : «*She was working as an undercover hot-dog in a kosher delicatessen..*»

— Mais qu'est-ce que cela signifie?

— Rien, Sire. Probablement du turc d'ailleurs, supposa Caligula.

— Comme vous pouvez le remarquer, Majesté, la première phrase de ce livre est en turc d'ailleurs, dit Bouki.

— Turc d'ailleurs.

— Turc d'ailleurs.

— Turc d'ailleurs.

— Turc d'ailleurs.

— Lieutenant de mes gardes, qu'as-tu à dire pour ta défense?

— Sire, longtemps j'ai travaillé aux postes frontières du royaume et j'ai eu à maintes reprises l'occasion de rencontrer des turcs d'ailleurs. J'ai appris à distinguer leurs différences morphologiques : 92% d'entre eux ont le nez sur le côté gauche du visage et les yeux sous les joues, tandis que les autres ont les yeux à l'intérieur des oreilles et pas de nez du tout. Donc logiquement, Majesté, comment puis-je être un turc d'ailleurs?

— Ton déguisement était astucieux, mais nous l'avons percé à jour!

Jusque-là, le Chef de la garde croyait avoir une chance de se sortir de cette malencontreuse situation, mais la logique déconcertante dont faisait preuve la Cour commençait à l'inquiéter.

Bouki se tourna vers le Roi et ne regarda plus que lui. Une subtile métamorphose s'effectua; le procès se changea en un dialogue entre le juge, le jury et l'avocat de la Couronne. Le Roi commentait à l'occasion; de son côté, Caligula semblait perdu dans un soliloque philosophique.

— Le prochain passage, reprit l'avocat, rapporte un échange entre le Lieutenant de la garde et Jeanne Mance:

«— L'impérialisme est la forme la plus avancée de capitalisme.

— Ha!

— Et les pauvres; qu'est-ce que ton roi a fait pour eux?

— Il leur a donné des habitations de pauvres, des vêtements de pauvres, de la nourriture de pauvres et des emplois de pauvres; que veulent-ils de plus?»

— Je te remercie, Lieutenant de mes gardes; ton livre me flatte, mais comment peux-tu? Le peuple a faim, les taxes sont trop élevées, mes conseillers sont corrompus... Mais dis-moi, tu n'es même pas un bourgeois et pourtant tu rampes devant moi; ne serais-tu pas un ambitieux?

— *To be and not to be...* Ho! Ho! clama Caligula. Je pousse l'existentialisme à l'extrême.

— Silence, Caligula! ordonna le Souverain exaspéré.

Bouki reprit sa lecture, insistant sur certains passages, portant des jugements sur d'autres. Le Roi retrouvait peu à peu son calme. Impassible, il regardait l'assemblée et passant périodiquement sa main devant son visage en un mouvement méthodique dont la précision approchait celle d'un métronome. Une incontrôlable lassitude le gagnait. De vagues souvenirs de Jeanne Mance lui assaillaient l'esprit : farouche amazone à philosophie épicurienne. Qui sait, elle n'avait peut-être jamais existé? N'importe, il ne s'en souciait guère. Les réflexions du bourgeois ne l'aidaient pas à retrouver sa bonne humeur. Même la perspective de la pendaison du Chef de la garde ne le réjouissait plus. S'il plaisait à son coeur, il pourrait même épargner la vie du coupable. Le Souverain estimait fâcheux que la postérité puisse méprendre son népotisme pour de la cruauté perfide. Cette pensée le rendit encore plus triste. De ses yeux transpirait le chagrin et les extraits que lisait Bouki paraissaient l'émouvoir davantage:

«— Assassin! Vous leur avez retiré toute dignité! Vous les avez tués, assassin!

— Écoute, Jeanne ; tu sais, assassin, c'est un concept tellement vague...»

— Monstre!

«— Comme l'a dit un grand homme, il y a bien longtemps: *le peuple est la racaille qui ne mérite pas de gouverner.* Le pouvoir aux masses? Communiste!

— Tu m'accuses d'être communiste alors que tout ce que je veux, c'est l'égalité pour tous!»

— Prophétesse! Pardonne-nous, Jeanne, nous ne savions pas ce que nous faisions, sanglota le Roi en tombant à genoux.

«— Celui qui partage a moins aujourd'hui, mais plus demain.

— Fasciste! Néo-fasciste! Sado-maso-fasciste! Dialecto-fasciste! Noso-fasciste! Sarco—»

— Monstre! Arrête, Bouki; je n'en peux plus! Qu'avons-nous fait? C'était une sainte femme!

— Dans mon jeune âge, intervint Caligula, j'ai vu Sigmund Freud jouer dans une opérette de Offenbach; il tenait le rôle du cheval.

— Caligula!

— Vous savez, il ne faut pas faire ça le Vendredi Saint, vous risquez de rester collés. Licorne de porcelaine blanche à libido refoulée. Sur le dos maintenant, docteur, pas trop fort...

— Caligula!

Durant le délire du bourgeois, un messager arriva avec des nouvelles du Palais. La rumeur voulait que, peu de temps après le début du procès, le charabia se soit mis à grossir à une allure malthusienne. La Cour s'empressa de suspendre l'audience et d'envoyer une délégation s'enquérir de l'état des choses. Les dires du messager s'avérèrent véridiques : le charabia s'étendait sur toute la façade et empiétait sur une autre. La populace ne pouvait cacher son intérêt face à cette perversion littéraire. Malgré tout, la nature oléagineuse de l'étrange graffiti en effrayait plusieurs. Il ou elle, selon le point de vue, déployait ses tentacules jusque dans la rue, où il s'efforçait de faire trébucher les innocents qui s'aventuraient trop près.

— Ha!

— Qu'y a-t-il, mon frère?

— Ma sœur, le charabia m'a fait tomber.

Visiblement offusqués, les deux concitoyens s'étaient mis à sauter à pieds joints sur les bras allongés. Bientôt, dix, vingt, trente, cent autres personnes les avaient rejoints. Après concertation, les badauds formèrent des pelotons qui se relayaient aux dix minutes. C'était un bien triste spectacle.

Le Roi rappela à l'ordre le Tribunal. Le juge prit alors la parole.

— Bouki, il est temps de conclure ton plaidoyer.

— Sire, juge, membres du jury; nous avons ici un dangereux fou. Dans ce livre, il mélange le cynisme au sarcasme en y intercalant de l'ironie; de ces trois, il ne fait qu'un. C'est sa capacité de muter qui fait de cet homme une menace pour le royaume. Il faut le contrôler. Il faut contrôler le mutant!

À ce moment, les invités entonnèrent sur l'air d'une cantilène de nourrice : «*Tra-la-la le mutant, tra-la-la le contrôler!*»

— À ton tour, Caligula; qu'as-tu à dire au nom du peuple? demanda le juge.

— Sous-sergent de la garde royale, notre peuple t'a accueilli à bras ouverts. Ce fut une erreur car tu n'apportas que misère et désolation. À cause de toi, les plus vaillants de nos concitoyens sont affairés à piétiner le charabia. *Ceteris paribus,* mes frères et mes sœurs n'auront que de vils souvenirs de ton passage. Ta fourberie sera proverbiale, ton ingratitude légendaire, ta—

— Bravo, Caligula!

— Tes...

— Bravo, Caligula!

— Tu...

— Bravo, Caligula!

— Simple soldat de ma garde, tu seras exilé et jamais plus n'auras-tu droit de séjour dans notre royaume! déclara solennellement le Souverain. Que l'Eternel nous préserve de toi et de tes semblables. Amenez-le!

L'assistance s'essaima tandis que les gardes du roi escortaient l'ex-chef de la garde royale jusqu'aux frontières du royaume. Le Souverain demeura à discuter avec Bouki.

— Bouki, qu'as-tu entre les mains?

— Un livre, Majesté.

— Quel est son titre?

— *Si Jeanne Mance était pucelle,* Majesté.

— Jeanne Mance... Le nom me dit quelque chose.

— Souvenez-vous, Sire ; vous l'avez fait pendre.

— Ah oui, en effet ; elle l'avait bien mérité.

Bahbar...

C'est entre la liberté et l'esclavage que se croisent les chemins vrais et terribles...

***

Haine de l'introspection active. Des interprétations psychiques telles que : hier j'étais comme ceci et pour telle raison, aujourd'hui je suis comme ceci et pour telle raison. Ce n'est pas vrai, ce n'est pas pour telle raison ni à cause de cela, pas davantage comme ceci ou cela. Se supporter tranquillement, sans précipitation, vivre comme on y est obligé, ne pas tourner cyniquement autour de soi-même.

Franz KAFKA, *Journal*

Bahbar face à la dichotomie dialectique

Kuli ba Trois Mousquetaires — *nali mu temwa.*

Pumeli, Chileseh, Sampa.

— Raconte-moi une histoire.

— Je n'en connais point.

— Récite-moi une fable.

— Laquelle?

— Peu importe.

— *La Dichotomie?*

— Oui.

— «Mme Corbeau, sur une plage couchée, tenait entre ses jambes un fromage. M. Renard, par l'odeur alléché, lui tint à peu près ce langage :

"a tergo retro in terga
a tergo retro extraordinarias uolaptates

151

canino more et retra ad libitum."

«Séduite par ces proses, elle entrouvrit ses fourches, lui laissant voir le *fromaticus*. M. Renard sortit son fléau et piqua, pic pic et colégram, une fois, deux fois, trois fois, quatre fois.»

Il y eut un silence. Les deux hommes étaient couchés dos à dos, comme cela arrive si souvent après la copulation.

— Crois-tu en la réincarnation?

— Non.

— Moi, si. J'aimerais, dans une vie prochaine, être femme.

— Pourquoi?

— Pour faire l'amour avec les femmes.

Sur ce, Christophe se rhabilla et prit la direction de la porte.

— Où vas-tu?

— J'ai rendez-vous avec madame votre épouse.

Il sortit, refermant la porte derrière lui.

Dans la salle du trône, Isabelle assise in extenso dans un baril d'eau, attendait la venue de ce cher Colomb.

— Majesté?

— Pénétrez, mon ami, ne soyez pas timide. Venez donc me rejoindre dans le bassin. Point n'est besoin de garder tout cet attirail. Allez, hop! À la flotte!

Christophe se déshabilla et rejoignit la reine dans l'eau. «Alors qu'avez-vous à me confier?»

— J'ai de grand projets, Majesté!

— Vite, vite, ne me faites pas languir.

Ferdinand ne s'était pas levé après le départ de Colomb. Allongé sur la couchette, il se remémorait les derniers mois : sa rencontre avec Christophe, leur premier rendez-vous, leur premier effort. Sa relation avec Isabelle n'avait plus été la même depuis lors. Il pensait même à filer en douce.

Je ne dirai pas à Isabelle que je la quitte, je partirai tout simplement.

L'assomption de mon décès paraîtra logique après quelque temps.

Pourquoi s'en aller? Cela ne règlera rien.

Elle n'a jamais su me comprendre, trop occupée à tout savoir.

Je la vois très bien en veuve.

Les femmes, dans leur veugage, sont dangereuses. Elles mordent, elles touchent, elles goûtent. Quand elles parlent, leur langue vous attire, vous tente, vous nargue. Saint-Augustin l'a dit maintes fois. Isabelle sera de même; une vipère qui piquera, se glissera parmi les feuillages, qui s'insinuera sous vos draps... Non, elle n'a jamais voulu.

—Mes idées vont à l'encontre des croyances populaires.

— Expliquez-vous, mon cher.

153

— Ma reine, certains veulent bien nous faire croire que le pays est surpeuplé : ils affirment que le moment est propice à une expansion territoriale afin de soulager les cités de leur surplus de vermine. À mon avis, toute migration espagnole vers l'Amérique serait dommageable.

— Oui, justement je contemplais la possibilité de vous envoyer explorer cette partie du monde, pour fins de conquête.

— Nous irons en Amérique, certes, mais pas pour nous y installer.

— Donc, qu'avez-vous à proposer comme alternative?

— Notre objectif premier devrait être le développement de l'économie nationale. D'abord, augmentons la productivité de nos terres; nous devons trouver de nouvelles méthodes qui permettront une production alimentaire accrue. Si l'on y arrive, toute transhumance s'avèrera inutile. Je pense avoir trouvé la solution.

Isabelle s'approcha de Christophe, leurs jambes s'entrecroisèrent. «Le Vénitien Giuseppe Verdi vient tout juste de mettre au point une machine à confectionner des sapajoux. Je suis certain qu'en utilisant le processus inverse, nous obtiendrons de bons résultats.»

— Je ne vous suis pas du tout, Colomb; il faudrait clarifier votre exposé.

— Ma reine, c'est si simple, regardez : la machine de Verdi, qu'il a baptisée «spermophile» à cause de son mouvement répétitif qui rappelle un grignotement sert à fabriquer des petits bonshommes. En employant le processus inverse, c'est à dire en l'alimentant de sapajoux, nous obtiendrons une matière fécale apparentée au fertilisant classique, mais de beaucoup supérieure en qualité. Dans un premier temps, il faudra mettre en jachère les terres andalouses et castillanes. Le fertilisant sera étendu selon les méthodes régionales. En moins de trois ans, nous serons en mesure d'observer les résultats. Majesté, la production domestique grimpera de cent cinquante pour cent!

Partir sans rien dire ; lâcheté? Qu'est-ce que la lâcheté? Ne rien faire quand vient le moment? Pourquoi? Sous prétexte de ne pas vouloir faire mal. Bien sûr. La fin est proche, on le sait. En tous cas, on croit le savoir. Bientôt, demain, ce soir, oui, ce soir. Pensée incohérente. Tu sais, je t'aime; non, je t'accepte. Je pense t'aimer. Sans le savoir, je m'embourbe. Je fais vibrer la toile, cela attire l'araignée. Elle vient, mi-mante, mi-veuve. Elle me libère. Non, elle me tient, je bouge, je me débats, je menace. Quelle blague!

La reine était assise sur Colomb, tout en lui faisant face. Il la regardait, un peu timide. Ses mains caressantes effleurèrent sa fourche caudale. L'action fut interrompue par un vacarme. Le Roi traversa la salle du trône en coup de vent, poursuivi par une chèvre armée d'un compte-gouttes. Il sauta par la fenêtre, l'animal l'imita. L'équilibre fut rapidement rétabli.

— Racontez-moi la suite, Christophe.

Sa voix était presque mélancolique...

Les balbutiements de Colomb se transformèrent en grommellements puis il reprit :

— ... un fertilisant de qualité supérieure.

— Comment pourrons-nous nous procurer des sapajoux en quantité suffisante pour rendre cette entreprise viable?

— Voilà où mon analyse diffère de celle des autres érudits. Nous devons conquérir l'Amérique, non pas pour nous y établir mais plutôt pour qu'elle puisse nous fournir la matière première nécessaire à la réalisation de ce projet. Les habitants de ce continent qui, physiquement se rapprochent davantage des prosimiens que des humains, semblent parfaits pour ce type d'utilisation. Le seul inconvénient serait leur petite taille. Cela impliquerait une utilisation massive de ses eunuques. Il faudrait donc entrevoir, si l'on veut garder un niveau de production respectable, un épuisement à moyen terme de cette source d'approvisionnement.

— Fâcheux. N'y aurait-il pas une formule intermédiaire qui permettrait de contourner ce problème?

— Pas vraiment. À moins de croire aux légendes, Majesté.

— Que disent-elles?

— Les Anciens croyaient à l'existence d'un immense territoire au Sud de l'Europe, habité par des êtres de carrure imposante. J'ai consulté certains documents historiques pour me familiariser avec la question. Un voyageur phénicien décrit ainsi son expérience : «En cette huitième année du règne de Pépin le Bref, moi Georges Ubu, troisième de ce nom, ai visité une terre étrange où évoluent des énergumènes à couleur de charbon.» Il ne faudrait pas se fier outre mesure à ces contes. À ce que je sache, ni humains ni prosimiens ne pourraient avoir tel phénotype. Si par hasard les légendes ne mentent pas et que cette terre existe vraiment, *euréka!*

De retour dans sa chambre, à bout de souffle, Ferdinand s'assit dans un fauteuil.

Idées éparses, mais non éclatées. Christophe ou Isabelle, le choix est facile; l'est-il vraiment? Question rhétorique, sans sens, qui n'a même pas sa place; donc pourquoi la poser?

Mon trône d'Aragon, je l'échangerais bien contre des lentilles. Elle n'aime pas les lentilles. Il me faut quelqu'un qui les apprécie.

Je suis encore nu, Christophe m'a quitté depuis près d'une heure. Je suis déprimé, mais optimiste : y a-t-il dichotomie?

J'ai envie de dire merde! *Pourquoi pas? Tes parents, qu'ont-ils à me dire? Ils ne m'ont fait ni prince, ni duc, ni roi; Aragon me revenait de droit. Intrusion malencontreuse dans un univers incertain, interdit. Qu'est-ce que la certitude? Retour en arrière. Je les re-*

garde de haut, de très haut. Folie douce. Seul dans ma chambre. Le petit Larousse n'a jamais grandi.

La courte escapade du Roi avait visiblement refroidi l'ardeur des deux baigneurs et malgré le fait qu'ils aient été encore très près l'un de l'autre, un certain degré de distanciation se lisait dans leur regard.

— À mon avis, Colomb, la question de protocole est très importante. Le premier contact avec les sapajoux donnera le ton de votre mission. Dès le débarquement, prenez contact avec la bourgeoisie nationale. Notre vision devra devenir la leur, nos objectifs devront être les leurs. Faites miroiter les richesses que pourrait générer une association avec nous. Offrez-leur des châteaux en Espagne, des dimanches en Italie, des promenades dans le Quartier Latin.

— Et pourquoi pas des déjeuner-causeries avec Arrabal et Kafka?

— Machiavélique, mon cher Christophe!

— *De nada.*

— Ne sous-estimez pas leur vanité. Appréciez leur bovarisme, mais ne les flattez pas.

— Oui, ma reine. De toute manière, l'esprit de clan si coutumier chez nous, Colonisateurs vivant parmi les peuples inférieurs, nous forcera à avoir nos clubs privés et notre société fermée.

— L'eau fraîche, pour la saison.

— Cachés sous les palétuviers des petites anses,

nous nous aimâmes.

Je n'en peux plus. Pourquoi en serait-il autrement? Attitude coutumière mais non triviale. Interlude. Malentendu camusien mais non ambigu. Je te l'ai dit, tu ne l'as pas entendu. Comment crier sans éclater? Et qu'en est-il de la Nature Humaine?

Winston Paul

Hôtel Calypso

Winston Paul

Winston Paul est un pseudonyme confortable.

W.P.

Hôtel Calypso

Il y a des nègres à Montréal même si vous ne prenez pas le taxi et qu'ils parlent français, mais cette nuit-là il ne s'agissait pas de taxis mais d'autobus qu'il me fallait prendre pour revenir à Québec qui est une ville du nord où j'habite seul sur un promontoire que ça ne me tentait pas. J'avais passé plusieurs jours à Montréal à écrire des textes pour une compagnie de gaz connue pour des relations publiques que je déteste pour gagner ma vie et j'avais été payé la veille avec de beaux billets bruns foncés de cent dollars. Neuf portraits de reine d'Angleterre en poche, ça sécurise. J'avais donc commencé de boire tôt le matin, à partir du Peel Pub, situé dans un sous-sol, au coin de Peel et Sainte-Catherine que je connais bien car j'ai travaillé en face comme rédacteur de messages publicitaires pour les magasins Canadian Tire et leurs outils de marque Moto-Master qui sont une vraie bonne affaire pour chez vous et je pourrais vous chanter de mémoire après dix ans le *jingle* que Tex Lecor interprétait si bien à jeûn à la télé et à la radio car c'est un gars qui a déjà su boire lui aussi. Je vous dis cela afin que vous sachiez à quoi vous en tenir sur mon compte; comme ça vous ne pourrez pas m'en vouloir par la suite.

J'avais donc débuté ma journée vers les dix heures du matin au «Peel» avec des «draffes» un peu tiède et bien broueuses. N'importe quel buveur-tôt vous dira que la bière glacée le matin peut vous créer des crampes d'estomac et gâcher la «brosse» la mieux intentionnée du monde. Belle moussse blonde et tiède qui me collait aux lèvres et j'avais tout mon temps. Je passai l'avant-midi à boire seul à ne penser à rien et à observer les autres buveurs matinaux consciencieux et réfléchis. C'est une clientèle d'hommes d'affaires sur le retour qui s'enfoncent doucement dans un alcoolisme méditatif et discret avec tout l'argent qu'ils ont gagné dans leur vie à penser à en faire. Il n'y a donc aucun danger que je m'y fasse des amis car je n'ai pas encore réussi à ce point.

Puis j'ai descendu la Catherine jusqu'à Saint-Denis, plus précisément vers le Café Cherrier qui m'est cher en faisant des pauses dans toutes les tavernes et tous les bars dont la musique, l'odeur ou l'allure m'attiraient et dans ces moments-là un rien m'attire. Sainte-Catherinevitrine, une fois passé le carré Philipps on s'y croit sur la rue principale de Victoriaville ou de Chicoutimi. Maisons basses, petits commerces, façades des années quarante retapées au goût du jour, restaurants de Grecs, boutiques de guenilles juives, jeans bon marché, sous-vêtements de «guidounes», systèmes de son, appareils électriques, télés, *walkman,* japoniaiseries de toutes sortes à rabais, soustraits par containers à la vigilance de la police du port, librairies géantes de bouquins de seconde main, camelote hindoue, magasin de souliers saint-léonardais made in Italie, shop de T-shirts criards et violents et posters pour adolescents.

C'était jour de canicule. Un vent chaud et mauvais charriait la poussière et les papiers gras de la rue et affectait le système nerveux de la faune des flâneurs, magasineurs, travailleurs manuels, «monde de bureau». Putes garçons, putes filles racolaient ouvertement, légers, sexy, excités par la chaleur prometteuse d'une journée payante. Puis je remontai, au rythme du jour descendant, la rue Saint-Denis où la foule se changeait en jeunes musiciens, mendiants sur le B.S., artistes, intellectos, uquamés, cokés, freaks, pushers de pot, H, coke, pinotte, merde à rêve qui ne vous vaudra rien même si ça peut faire des millions de $ dans votre journal quoitidien quand les «narcs» y annoncent un *bust* réussi.

Les bars et les terrasses grouillaient d'un petit monde plus aisé ; aristos des médias, réalisateurs, animateurs, comédiennes de commerciaux, journalistes, cinéastes, critiques, tout ce qui fait de près ou de loin la télé, le journal, le cinéma, le théâtre et le reste. Vous pourriez vous y asseoir et rédiger Écho-vedettes et Vie des Arts en un après-midi. Plus les waiters, barmaids, vendeurs de limonades, dealers, motards distingués, dragueurs yuppies et dinks des deux sexes, belles gueules et beaux vêtements.

Je m'étais donc rempli les boyaux d'alcool et de bière; les yeux de tous ces gens qui sont comme vous et moi, le nez de ces produits douteux comme la série Miami Vice à la télévision. Je me sentais heureux comme une augmentation de salaire que vous iriez annoncer à votre conjoint et c'était comme Noël. Je sais que pour certains, cette fête est une cause de suicide du fait de cadeaux qu'ils ne recevront jamais et qu'ils meurent d'envie. Mais c'est comme ça dans les grandes villes et il fallait rester à la campagne avec un ruisseau, un chien et des oiseaux de Philippe Leclerc qui va quand même à Paris où il y a aussi des taxis et peu de chauffeurs noirs. Rendu au soir, le même que de ce jour, j'étais blindé et heureux dans un délire éthylique parfait, système nerveux au point doublé d'une facilité d'élocution rare. Dans ces cas-là je plais beaucoup aux femmes. C'est comme ça et je me suis fait une amie de rencontre assez jolie qui semblait vouloir éviter la solitude à tout prix et je ne semblais pas coûter cher. Elle connaissait un endroit sympathique et pas très loin à pied où je l'accompagnai.

C'était un bar tout noir à cause des murs et surtout de la couleur des gens et de la musique qu'ils font entre eux pour leurs mauvais souvenirs et qu'on en devient instantanément joyeux même si on a des reproches à se faire comme de rentrer tard ou pas du tout quand quelqu'un aimé vous attend à la maison. Et on a regardé toutes ces couleurs dans le noir, ma copine de rencontre et moi, en serrant les mains des musiciens qu'elle avait connus avec du haschich qui est recommandé avec cette musique.

C'était du Calypso authentique et satirique de leur île à eux qu'ils sont nombreux à danser là-bas et ça ne rappelle pas du tout Harry Bellafonte au *Johnny Carson Show*. Pour cette copine de rencontre, je n'étais apparemment pas la première rencontre qu'elle faisait car elle saluait tout le monde en m'entraînant d'un groupe à l'autre et en enfilant à l'aise une cachaça après l'autre qui est un alcool du Brésil que nous offraient ses amis noirs pour faire plus raciste et j'ai appris que la meilleure cachaça est de marque *Nega Fulo* à cause d'une mulâtresse qui était championne de Samba pendant le carnaval de Rio à l'époque où il avait lieu dans la rue avec des meurtres. Pour votre culture éthylique, c'est un alcool à base de canne à sucre qui est leur sirop d'érable et c'est très bon avec de la lime et du citron ou encore une petite pomme brésilienne coupée en étoile pour les brûlements d'estomac.

Ma copine de rencontre avait une personnalité à laquelle on ne peut pas résister et il y avait là un beau garçon noir comme tout le monde qui n'a pas pu lui non plus et il est parti avec elle et un beau sourire. Je suis devenu alors instantanément seul et raciste pendant un moment, le temps d'une autre cachaça qu'un autre garçon noir comme mes idées m'a offert avec un aussi beau sourire et nous avons parlé en «fouançais» d'autres choses car ça n'était pas de bonnes idées. Le même garçon et qui s'appelait Napoléon m'a ensuite présenté sa sœur qui avait des airs de famille sur lesquels nous avont dansé jusqu'à tard en se plaisant beaucoup à se dire de cochonneries avec des rires d'enfants et des intentions d'adultes consentants. Mais je n'irai pas vous raconter ici mes phantasmes. Vous trouverez plein de vidéos-cochons au coin de la rue chez vous et vous n'avez qu'à mettre la cassette de *Superman III* sur le dessus de la pile pour éviter de faire ça devant les enfants.

De toutes façons il me fallait quitter la dame en noir. Le *last call* était crié depuis un moment déjà et je devais prendre le bus au petit matin. J'ai donc laissé ma Noire en plateau et me suis dirigé à pied la bite sous le bras de Brel vers le Terminus Voyageur dans cette belle nuit de juillet qui sont les plus belles de l'année à cause de l'hiver.

L'intérieur du Terminus était blanc et froid et vide comme le frigidaire d'une assistée sociale monoparentale le trente du mois. Le bar était fermé naturellement alors que ce sont les pires heures pour l'attente et il n'y avait plus de programmes possibles aux petits écrans individuels et abrutissants à 25¢ la demie-heure. Comme je l'ai déjà mentionné j'étais ébriétairement très avancé et je n'aime pas perdre ces moments privilégiés qui coûtent si cher à cause des profits de la S.A.Q. et bien d'autres raisons encore comme la santé et il y en a même qui perdent leur job pour ça. Je décidai donc de sortir du Terminus du côté opposé aux taxis haïtiens c'est-à-dire côté bus et me retrouvai dans la ruelle de la rue Saint-André, très jolie avec des réverbères des années cinquante et des fils électriques qui me rappellaient des poèmes surréalistes de mon enfance sans savoir pourquoi. Il y avait là toute une rangée de maisons abandonnées et placardées en vue d'une démolition nécessaire au progrès, et j'aperçus dans la nuit chaude, éclairée par les années cinquante, un sentiment d'aventure comme dans mon enfance également : une petite porte à moitié ouverte donnant sur l'arrière d'une des maisons. J'y entrai curieux et avec les précautions qui vont avec. J'ignore ce qui me poussa à faire ce geste mais je crois que dans ma saoulographie je cherchais un coin tranquille où finir ma bouteille de Johnny Walker Black qui ne me quitte jamais en voyage et fumer le H qui me restait. J'entrai donc et il faisait moins sombre que je n'aurais cru à cause du placardage négligé qui laissait filtrer la lumière de la ruelle comme celle de la rue Saint-André elle-même par devant. Ce n'était que décombres et débris à l'étage et je décidai de grimper au premier, encouragé par cette demi-clarté.

Là, malgré ma curiosité et ses précautions, je fus surpris. Il y avait trois petits lits par terre, des vêtements divers et colorés accrochés sur des cintres fixés à même les murs comme un collage abstrait : chemises et cravates de couleurs voyantes, costumes, pantalons, pulls, foulards. Les lits étaient faits simplement d'un matelas en mousse de polyuréthane avec un oreiller de même type et recouvert de tissus comme des Hindous dans les films documentaires sur leur pays car je n'y suis jamais allé et il y avait une petite lampe à gaz près d'un lit et un réchaud du même nom avec des casseroles et des boîtes de conserves comme pour du camping quand on n'a pas de roulotte. C'était très propre et sympathique avec du désordre de bouteilles de bière vides et un plat-cendrier plein où je crus deviner des restants de joints de pot et qui m'a semblé comme une invitation à rester car je suis bien élevé et je ne sors que sur invitation sauf dans les cocktails mondains où il y a parfois des vins qui ne coûtent pas cher et je dois souvent boire pour rien et je peux facilement passer pour un journaliste quand je ne me rase pas pendant deux jours. Je me suis donc permis de m'asseoir contre le mur et je me suis roulé une invitation sur demande avec mon propre H. Je me suis servi une bonne gorgée à même la bouteille de mon Johnny Walker Black. Après un petit moment impossible à évaluer dans mon état j'ai eu une apparition soudaine accompagnée de bruits de surprise comme quand c'est votre anniversaire et que vous n'êtes pas supposé le savoir. Il y avait là dans le noir six yeux blancs qui roulaient sur eux-mêmes dans les airs avec en-dessous des dents de la même couleur qui semblaient toutes parler en même temps.

Je n'ai pas eu peur car je me sentais chez moi comme invité. Les deux plus grands yeux se sont approchés avec des questions inquiètes et menaçantes pour dissimuler leur inquiétude. Je n'ai rien compris à ce qu'ils disaient et je leur ai tendu ma bouteille de scotch comme une intention pacifique car je ne sors jamais armé. Et j'ai entendu tout d'un coup d'autres dents blanches crier dans le noir derrière «Mais c'est Paul, qu'est-ce que tu fais là mon vieux?» La voix était chaude, souriante et joyeuse! Alors, les premiers yeux ont allumé la lampe à gaz et j'ai reconnu, qui s'avançait vers moi, mon grand garçon noir avec la cachaça dans le bar de Calypso dont je vous ai parlé tout à l'heure même si vous allez me dire qu'il n'y a pas de hasard dans la vie comme un roman. J'ai profité du court moment d'hésitation pour sortir mon H invitation qui m'en restait pas beaucoup et j'ai roulé un joint. À partir de ce moment tout le monde se connaissait et il n'y avait plus qu'à faire les présentations. Le plus grand des Noirs, j'ai appris, aimait beaucoup le Johnny Walker et ça n'était pas sa marque. Il avait été révolutionnaire à Haïti sous la dynastie «Doc» et il s'était fatigué à la longue à cause des idées politiques comme à Paris où il avait étudié et à Moscou où il était allé et où ce sont des Blancs et que ça n'avait pas marché chez lui avec ses frères noirs.

Il avait donc décidé de venir ici avec ses diplômes de socio-politique et de philosophie qui n'ont pas d'équivalent à l'association des chauffeurs de Taxis de Montréal à cause de la géographie et de la toponymie de la ville qui sont des matières très coton. Il était donc forcé de faire du taxi avec la tête d'un de ses amis qui se ressemblent tous comme coupables dans les viols et les hold-ups. De sorte que c'était quand même facile de conduire une voiture-taxi à trois *shift* et de s'échanger ainsi des tuyaux sur la géographie et la toponymie de la ville en faisant à l'occasion de petits profits avec du pot et du H pour envoyer un peu d'argent là-bas à cause de la famine qui n'est pas le moteur évident de la révolution. Il s'appelait Pascal France pour la raison de son père et le deuxième qui avait coupé de la canne à sucre pour rien en République Dominicaine s'appelait Napoléon Dumas parce qu'Alexandre aurait été trop, et le troisième Jean Jules, pour rien, parce que c'était comme ça et que Jules peut faire très bien comme nom de famille quand votre grand-père à été le jules d'une parisienne connue. Jean Jules était le plus jeune et il avait exercé le métier de cireur de souliers qui ne rapporte pas beaucoup là-bas et dont je tairai le pourquoi parce que je ne veux insulter personne même si les vraies raisons sont ailleurs comme les balles de baseball des Expos et le sucre dans votre café. Il avait aussi vendu de l'art naïf et très joli fait sur des carreaux de linoléum pour les touristes mais c'est un art qui ne coûte pas cher. Quand on a parlé d'art naïf que Malraux André s'était même déplacé pour aller en voir, Jean Jules m'a sorti une enseigne qu'il était en train de peindre avec des motifs à fleurs et qui était pour se lire «Hôtel Calypso».

Une fois terminée, il allait l'accrocher au-dessus de la porte d'entrée de la maison et peut-être qu'avec une manifestation et tout plein de Noirs à danser autour de la maison on n'allait pas démolir et tous les chauffeurs de taxis haïtiens pourraient y dormir en débarquant ici avec aussi une salle pour les cours de géographie et de toponymie de la ville. Nous nous sommes mis en quatre pour finir le scotch et le H et ils m'ont raconté plein de souvenirs récents de leur pays d'espoir nostalgique avec des idées politiques structurées dans une dialectique serrée que j'aurais été mal à l'aise de parler de la CSN ou du N pédé.

Ça avait été une nuit agréable avec des promesses de se revoir même sans carton d'invitation et je ne voulais pas leur manquer d'espoir avec des propos réalistes d'administration municipale et de politique gouvernementale et je leur ai dit comme un lâche qui ne veut pas manquer son autobus que la maison et l'enseigne c'était une bonne idée pour les taxis et je les ai quittés pour mon autobus et le promontoire de ma ville du nord.

Je suis revenu trois semaines plus tard en autobus à nouveau et il faisait clair et beau et frais aux abords du Terminus Voyageur et il ne restait plus rien ni personne de ce pâté de maison sauf un terrain vague qui servait de parking provisoire en attendant le progrès et je me demande où Pascal France, Napoléon Dumas et Jean Jules auraient bien pu accrocher leur enseigne d'Hôtel Calypso.

J'avais un rendez-vous urgent et j'ai préféré y aller en métro parce que, à Montréal... les taxis.

Jacques Désy

Eugène Breton
frappe à l'aube

Jacques Désy

Jacques Désy est né à Québec en 1959. Comédien et metteur en scène, il travaille dans l'outaouais québécois et ontarois. Il s'est fait remarqué dans *God* de Woody Allen, *Coup de sang* de Jean Daigle, *Tintin à l'île noire* et *Les flamants roses*.

Travaille également à la radio C.J.R.C. où il présente les énigmes d'Eugène Breton. Ce personnage, aux aventures abracadabrantes, fait ici ses débuts dans la littérature avant de bientôt monter sur les planches.

Eugène Breton
frappe à l'aube

Le 28 octobre 1982, il faisait un temps de chien : deux degrés celsius, pluie glaciale à écorner les bœufs. Le temps idéal pour qu'Eugène Breton soit happé par de nouvelles aventures.

Eugène Breton, c'est moi, pour vous divertir. Enfanté de la fesse de Joe Montferrand et de l'épaule de Dulcinée du Toboso, je ne suis pourtant pas plus grand que Sherlock Holmes (un mètre cinquante), pas plus génial qu'Hercule Poirot (la grosse légume du roman-policier), et certainement pas aussi hilarant que San-Antonio (quand même...).

Eugène! Génie! Généreux! Jeune! Oui, mes braves et mes bravesses, voilà ce que j'aimerais être, comme vous tous d'ailleurs, bien que vous n'osiez pas vous l'avouer : le Jeune Génie Généreux! C'est fou comme on

177

peut s'attacher à un simple nom. Je ne pourrais m'imaginer avec un autre prénom, comme Zing : Zing Breton! Aie! Ou de mal en pis : Eugène Zimbashtroffski! Assez pour devenir danseur de ballet ou joueur d'échecs. Dites plutôt : Eugène, tout simplement.

Eugène Breton tient quelque peu d'un Zarathoustra moderne, mais en plus humain, bien qu'il n'ait jamais eu de diplôme, ni de trophée, de décoration ou de doctorat *honoris causa*. S'il fait partie de la famille des surhominidés, c'est qu'il a eu de la chance, beaucoup de chance. Chacun a son idole sur cette terre. Et je sais qu'il pourrait devenir l'idole de milliers de personnes. Mais n'oubliez jamais que les idoles mangent, boivent, dorment et vont aux toilettes, comme le plus commun des mortels. Il ne faut donc pas croire que les superstars de la planète ne sont jamais prises les culottes baissées ou les fesses nu-tête! Prenez les athlètes par exemple, qui sont considérés comme des modèles à suivre. Eh bien, quand vous idolâtrez votre héros du hockey parce qu'il compte cinquante buts par saison et qu'il s'entraîne tous les jours, ne boit pas, ne fume pas, et donne à tous les organismes de charité pour se sauver de l'impôt, sachez qu'il est probablement colérique, baveux, fendant, avare, possessif, impulsif, menteur, qu'il trompe sa femme et va aussi aux toilettes. Le statut d'idole est donc à la portée de tous.

Je me trouve beau, saprement beau, malgré ma calvitie naissante, ma musculature un peu molle et mon air ordinaire; voilà toute ma chance! Il faut vous dire que je travaille mon ego, que je le cajole et le dorlote. C'est ainsi que j'apprends à compenser les quelques oublis de la Nature à mon égard et à me forger une image de moi-même qui m'inspire au maximum. Je trime dur, sans arrêt, pour me façonner une personnalité attachante et ce, depuis des lustres, depuis tellement longtemps en fait que cela remonte à ma plus tendre jeunesse.

Comme je participe aussi à l'humanité, certaines choses me dérangent dans l'existence : un mal de dent, ou le son d'une goutte d'eau tombant à perpétuité dans l'évier, ou les réclames à la télévision. Je ne suis donc pas un saint. Les mouches écrasées dans mon pare-brise m'énervent tout comme les vendeurs de chocolat qui milite dans l'association internationale pour la défense des mouches tsé-tsé. Et même si une balle de trente-huit dans la jambe me choque en *sivouplêt,* ce qui me tourneboule le plus, c'est un politicien qui tente de faire croire à ses électeurs qu'il agit pour leur bien. Lorsque je rencontre un farceur de cet acabit, je vous jure que j'ai le goût d'envoyer un gaz lacrimogène dans sa soupe.

Mais pour ce qui est du reste, je suis fondamentalement calme et bon. Merci, chers lecteurs et chères lectrices, de votre compréhension et recevez cette aventure qui se fait attendre.

Laissez-moi me rappeler? Un petit instant... comment c'était? Hmmm... Ben quoi? Il ne vous arrive jamais d'avoir un trou de mémoire! Essayez donc de vous souvenir en détail de vos lubriques activités de juillet soixante-douze. Écrivez-moi ça sur un bout de papier et faites-en une histoire intéressante. Même, proposez-la à un éditeur. Vous verrez ce qu'on vous répondra! Je sais très bien que la plupart des gens ne se rappellent même pas ce qu'ils ont fait la veille; ils avaient trop bu, trop pris de drogue ou trop mélangé les deux.

Voici une situtation fictive qui vous permettra de patienter pendant que ma mémoire refait surface : histoire d'un barbecue en juillet.

Vos invités arrivent, vous leur offrez à boire: Piña Colada, Bloody Mary, scotch, punch, bière, arachides et cetera (salés). Pendant que certains festivaliers enfilent leur maillot de bain, que d'autres se noient dans leur cocktail ou dans la piscine, vous leur servez des amuse-gueule : petites saucisses fumées enrobées de bacon et trempées dans du fromage fondu. Sonne l'heure du festin; vous ouvrez quelques bouteilles de cuvée dépanneur et un fameux Brights Baby Duck pour accompagner vos succulents hamburgers. On boit, on mange, on rit; tout le monde est heureux, quoi!

Puis, vous sortez l'armada des digestifs : cognac, armagnac, crème de menthe. Et vient le temps des jeux de société : la bouteille, le strip-poker, la poursuite triviale, la claque sué fesses et j'en passe et des meilleures. Pour terminer cette surprise party en beauté, une grosse tête ne manque pas de sortir son «pot», son «hash», sa «coke» ou ses petites capsules hallucinogènes. Et nous voilà partis pour la gloire! Sus aux crocodiles! Un codingue grimpe dans un poteau, un autre se baigne dans la toilette, le moins beau pleure dans un coin et un imbécile rit parce qu'il a pété. Une femme cherche son soutien-gorge dans le même poteau, une autre se fait cuire une main, la plus belle tente de faire croire au plus laid qu'il a du charme et une dernière rit parce qu'elle n'a pas seulement pété! Toutes ces bonnes gens sont évidemment dans la vingtaine, mes copeaux et mes copines, et ils se réveillent le lendemain avec une migraine carabinée, des brûlements d'estomac, des hauts-le-cœur et une haleine à vous désintégrer un clou. Croyez-vous sincèrement qu'ils se rappellent ce qu'ils ont fait la veille? Non, non et non! Voulez-vous maintenant que je vous raconte ce que je faisais en juillet soixante-douze?

Holà! Un zigzag lumineux pourfend mon esprit et je sens que je me souviens de l'aventure que je dois vous narrer. Voilà, ça y est!

Le 28 octobre 1982, il faisait un froid de petit gibier. Vous connaissez ces matins d'automne pluvieux et dégueulasses... Remarquez que lorsqu'il pleut, je préfère qu'il me tombe de l'eau sur la tête plutôt que de la lave... Enfin... Planait dans l'atmosphère le genre de température qui te pousse à demander à ton téléphone de faire le mort. Ce matin-là, croyant mon téléphone dans l'au-delà, j'étais plus que jamais dans un état second, cet état de béatitude totale où tout est secondaire. Le temps, l'espace, la vie, la mort, les bouteilles vides n'y deviennent que des concepts périmés. Un état d'euphorie dans lequel les ondes cosmiques s'entrechoquent pour vous plonger dans une ivresse esthétique, dans un livresque esthétisme. Pour le profane, j'étais seul... Mais en réalité, j'étais accompagné de tous mes fantasmes, réels, vivants et amusants.

Je me prélassais sur une magnifique plage mexicaine, entouré de toutes mes amies.

Le Mexique! Pays de rêve pour les Mariano de l'amour, avec ses Conchita belles comme des amandes et ses Corazon tendres comme des papayes (prière de prononcer comme le vrai marin). J'enlaçais justement Conchita, la plus affriolante des Mexicaines, qui était mon amante parce qu'elle était belle comme une amante. C'était un bienheureux matin, vers trois heures, alors que nous étions seuls sur la plage, mis à part l'eau et les coquillages qui se mariaient dans un sensuel ballet maritime. Je me laissais baigner des odeurs de ma Conchita, goûtant aux joies de la mer et aux suaves délices du sable qui me coulait sur le pubis en y faisant des chatouilles. L'eau chaude de l'océan, ses vagues qui me massaient le dos et la musculature, l'iode qui pénétrait mes narines et les envoûtait jusque dans les tréfonds de mes méninges, enfin bref, tous les plaisirs de la nature étaient réunis autour de moi. J'étais heureux comme un crabe, langoureux comme une crevette, calme comme un calmar, mélancolique comme une huître.

Soudain, de cette extase idylllique, cette apothéose nietzschéenne (je vous l'avais dit qu'il faisait un temps nietzschéen), je revins sur terre. Il était sept heures quand mon téléphone ressuscita. D'un bond, je fus debout. Ma tête se vida de tous ces rêves ébouissants. En l'espace de 0,269 secondes, j'étais retombé les deux pieds sur *terra nostra,* mou comme de la guenille. Une seule consolation, je vis mon corps apollinien, à la lueur d'une bougie, dans le miroir du boudoir, noir. J'aime cette image. Je dégustai cette silhouette; belle, saine, naturelle... Trêve de paradis terrestre. Je pris le téléphone d'une main sûre et dit, d'une voix acide:

— Bonjour!

Et la voix de ma tendre Masha, ma première flamme, mon premier véritable amour, se fit entendre à l'autre bout du fil. Une bouffée de souvenirs proustiens gicla dans les ténèbres de mon cerveau et je la revis, telle qu'elle était en ce temps-là.

Je l'avais rencontrée lorsque j'étais étudiant en service social dans une obscure université new-yorkaise. J'étais alors imbu d'un enthousiasme particulier et je croyais fermement que le service social menait quelque part, surtout si j'accompagnais ce plat de résistance de quelques à-côtés genre jiu-jitsu, tir au pistolet d'argile et casse-tête chinois. Je ne savais pas trop où je m'en allais (le sait-on jamais quand on est si jeune?), mais vous voyez que je prenais les moyens de ne pas allez n'importe où.

Masha était merveilleuse, douée d'une intelligence vive et d'un corps tout aussi fougueux, formant un ensemble parfait qu'un quelconque Romain de l'Antiquité aurait pu latiniser en *mens sana in corpore sano,* ce qui veut dire, vous l'aurez tout de suite compris : «Les hommes sains aiment les corps sains.» J'eus évidemment le coup de foudre rien qu'à humer le parfum d'ylang-ylang qui émanait de sa personne. En classe, elle s'assoyait toujours devant moi et envahissait littéralement mon champ olfactif. (Je dois ici vous faire la confidence que l'idole de ma jeunesse était Bob Morane. Comme les blondes vaporeuses qui aguichaient Bobby s'évaporaient toujours parmi des parfums d'ylang-ylang, il était normal que toutes les fragrances féminines de cette période de ma vie sentassent l'ylang-ylang.)

Un jour, j'invitai Masha chez moi, dans ma piaule estudiantine. Elle accepta, à mon grand ravissement. Cette première flamme attisait le feu de mes sentiments et je bouillonnais rien qu'à l'idée de me réchauffer à ses braises. Ce fut une merveilleuses soirée en tête-à-tête. Masha dévora le spaghetti en boîte que j'avais fait cuire sur mon réchaud neuf (pendant que je la mangeais des yeux), vida mes deux bouteilles de pepsi (je buvais ses doux glouglous) et avala au moins une douzaine de beignets (je me débattais contre un motton qui me serrait la gorge). Moi, sidéré devant un tel appétit, et de toute façon l'estomac complètement chamboulé par l'amour, je la contemplais béatement, sans toucher à mon assiette, rivé à sa bouche *évermeillée* de sauce tomate, à ses pupilles dilatées par le gaz carbonique du pepsi et à ses petits doigts fins saupoudrés de sucre. Que c'était grand! Que j'étais beau, naïf, prêt à tout pour ma dulcinée!

Une fois le festin terminé, elle vint s'asseoir sur mon lit, qui se trouvait dans la cuisine parce que mon appartement n'avait qu'une pièce. Elle me confia toute sa vie, ses aspirations et ses secrets. J'appris ainsi qu'elle était la fille de l'ambassadeur soviétique à New-York et qu'elle aimait beaucoup son vieux papa. Elle me parla de son pays, de Tarass Boulba son arrière-grand-père qui avait été batelier sur la Volga, de Raskolnikov son beau-frère qui avait eu des démêlés avec la justice russe pour un supposé crime. Toutefois, elle ne put me dire de quel châtiment il avait écopé. Elle me chanta aussi quelques-unes des chansons à boire les plus célèbres de son pays, comme : «Prendre d'la vodka c'est agréable...» et «Zaporogues de la table ronde, allons voir si le vin est bon». Elle dansa même pour moi une polka endiablée qui fait encore jazzer mes voisins (j'avertis tout de suite les quelques olibrius qui tiendraient à me rappeler que la polka est d'origine tchèque qu'ils ont raison mais que ma tendre Masha avait bien le droit de me swinguer ce qu'elle voulait). C'est dans cette même veine originale que je lui chantai à mon tour une vieille chanson de chez nous que me fredonnait mon oncle Bacchus le soir : «Prendre un verre de schnaps mon minou, prendre un verre de schnaps *right through*...» J'étais obnubilé par le charme de Masha; complètement amolli dans mon lit, raide comme une barre, je la regardais danser. Je l'écoutais parler et chanter comme si j'avais été sur une autre planète, dans une autre galaxie, celle de Cassiopée peut-être... je l'aimais, d'un amour passionné. Les heures passèrent, j'en oubliai de lui servir un verre d'eau comme digestif, et quand elle daigna m'embrasser sur le front pour me remercier de cette soirée, je crois que je me mis à bronchospasmer de joie.

Elle partit vers dix heures du soir, sagement, en me promettant que nous pourrions nous revoir. Cette nuit-là, je ne pus dormir, extasié par l'odeur d'ylang-ylang qui flotta longtemps dans l'air, comme un effluve de Vladivostock qui aurait traîné jusque dans ma chambre newyorkaise.

Je finis par m'assoupir vers les six heures du matin, après avoir écrit au moins deux cents poèmes d'amour en russe, fait trois cents rêves érotiques en cinémascope et regardé six cents fois par la fenêtre en direction de l'ambassade. Je semble exagérer un tantinet, comme ça, mais veuillez croire que tout est vrai dans cette histoire, jusque dans les moindres détails. Souvenez-vous de votre première blonde ou de votre premier cavalier!

Vers sept heures, je fus éveillé en sursaut par un tambourinage dans ma porte. Je parvins à me traîner de peine et de misère jusqu'au seuil et au moment où j'allais ouvrir, je reçus la porte dans un œil. Masha, intrépide, venait de faire éclater le verrou d'un adroit coup de savate. Énervée, elle ne me vit pas et *masha chu moi*; quelle merveille, mes amourettes! Je venais de subir la première vraie jouissance non platonique de ma vie. Je me tus, malgré mon œil qui saignait, pour qu'elle remarche sur moi en revenant sur ses pas. Mais elle cria de toutes ses forces : «Eugène!» et m'aperçut lorsque je levai le doigt discrètement, histoire de ne pas la stresser davantage.

La pôvresse était dans tous ses états; elle tremblait et quand elle me vit couché par terre, l'œil ecchymotique, elle se mit à pleurer:

— Eugène, mon amour (ô miracle), je t'en prie, aide-moi! Mon papa a été kidnappé par des voyous sans scrupules, des lâches Américains. Ils ont laissé un message disant qu'il était temps que les Russes subissent leur part de malheurs. Ils ont mis la maison sens dessus dessous. Je n'avais jamais vu pareil désordre. Mais c'est bizarre, ils avaient laissé aligné quatre billets de banque : un cinquante, un cent, un cinq et un deux. Je n'y comprends rien. J'ai peur... bouhhhh.

Et elle se jeta dans mes bras, tellement que nous tombâmes tous les deux sur le lit. Mon cœur battait la chamade, je frissonnais de voir Masha livrée à moi, désemparée. Je lui baisai le nez (depuis le temps que j'en avais envie) et je lui dis, énergique:

— T'en fais pas, bébé, on le retrouvera ton papa!

Du Humphrey Bogart à son meilleur, mes amoureux et mes amoureuses. Je ne savais pas ce qui se passait, mais de simple étudiant que j'étais, je me transformais en héros, justicier des temps modernes, prêt à tout pour sauver la santé mentale de ma blonde.

— Tu penses, chéri? me dit-elle, suave et affectueuse.

— Mais oui, voyons! que je lui répondis, sûr de moi.

Complètement transformé par mes tirades holly-woodiennes, je pris Masha dans mes bras et l'embrassai très fort, sur la bouche cette fois.

Wow! mes cocos et mes cocottes! Quel plaisir! Comme elle me rendait ma tendresse avec sa langue russe, je continuai à la rassurer sur un ton cyrillique.

— T'inquiète, Masha! Je sais à quel endroit commencer mon enquête!

J'ouvris son nombril avec un tournevis et les fesses lui tombèrent... figure de style, j'entends.

— Mais je ne savais pas que tu étais enquêteur? me dit-elle.

— Moi non plus! lui répondis-je, tout aussi surpris.

— Et tes études en service social?

— Au diable les études! m'écriai-je. Dorénavant, je serai détective privé!

Complètement transformé par mes tirades Halla-woodiallen, je faillis sauter dans mes bottes de sept lieues et tournoyer sur place à toute vitesse pour qu'il m'apparût une cape rouge de super-héros. Mais je ne le fis pas, magnanime, surtout qu'elle devait se demander dans quel film elle était tombée.

Sautant sur mon combiné, j'appelai la téléphoniste pour lui demander le numéro secret d'Interpol. Quand elle refusa de me le donner, je lui dis que je m'appelais Jean-Paul Belmondo et que je jouais dans un long métrage porno à New-York; abasourdie par la nouvelle, elle me confia alors tout ce que je voulais savoir. Je sus à ce moment précis que mon talent le plus irrésistible serait dorénavant l'originalité de mon imagination.

Je composai le 596-223-1223 (essayez-le pour voir) et j'exposai à la voix interpolaire toute l'histoire de kidnapping de l'ambassadeur soviétique. Je lui demandai finalement de venir me rejoindre avec ses sbires.

— Qu'est-ce qu'on fait? demanda la belle Masha amoureuse.

— On cherche l'adresse qui correspond au numéro de téléphone 501-0052! m'écriai-je, fier de moi.

— Mais, mais? bêla Masha.

— Les billets de banque alignés! lançai-je, resplendissant de génie.

— Aaaaah!!!! fit-elle, comprenant le jeu des ravisseurs qui avaient voulu, dans un élan de magnanimité tout à fait exceptionnelle, nous donner une piste. (Et n'allez pas me demander pourquoi les bandits laissent des indices dans mes aventures!)

Masha m'embrassa de joie, encore! Et splash! et resplash de dégoulinures de salive bourrées de MTS. Et nous fûmes heureux, le temps que durent les cerises...

— Allô!

— Ahhhhh. Jouissances fornicatrices. Ahhhhh. Plaisirs contondants, doux moments de jeunesse...

— Allô! Eugène! Réponds!

— Euhhh! Masha! C'est toi, ma colombe moscovite?

— Eugène! Tu vas recevoir dans quelques heures un coup de téléphone de notre agent à Londres. Il s'agit d'une affaire d'enlèvement. Sois prêt! Salut!

— Oui, oui. Je m'en occupe…

Mais elle m'avait déjà raccroché la ligne au nez. Le temps maussade venait de faire ses ravages dans mon intérieur douillet.

Ce que je ne vous ai pas dit, et donc, que vous ne saviez pas, c'est que Masha avait été tellement subjuguée par notre aventure new-yorkaise qu'elle était tombé beaucoup plus amoureuse du métier de détective que de moi-même. Elle était devenue transfuge, avait changé de nationalité et cessé de traiter les Américains de lâches. Elle avait rompu avec son père et s'était mise à lire tout ce qui se rattachait de près ou de loin à la criminologie. Elle avait suivi un cours intensif et accéléré de cinq ans à Harvard et avait grimpé les échelons hiérarchiques d'une manière tout à fait extraordinaire, jusqu'à ce qu'elle devînt directrice de la section ENLEVEMENT-RAPT-KIDNAPPING d'Interpol et me laissât choir dans les tulipes avec tout mon amour. Bouh!!!! et rebouh!!!!

J'étais brusquement de mauvaise humeur, très irritable, horriblement irrité. J'avais rêvé de ma tendre Masha et maintenant elle était loin de moi, donnant des ordres, oubliant son Gégène d'amour…

Je pris ma douche, marchai sur le savon et m'écrasai de tout mon long dans la salle de bain… (J'avertis tout de suite les rigolos qui voudraient me rire dans la face que si je les attrape, je leur fais goûter l'expérience du savon d'Aurore... n'oubliez pas qu'il est très tôt le matin.) Une panne de courant m'obligea ensuite à me rincer les cheveux à l'eau glacée. Je me sentais comme une graine semée dans un banc de neige, comme un nudiste oublié sur un iceberg à la dérive, comme une orchidée en Antarctique. J'étais hors de moi, tellement que l'énergie dégagée par ma colère réchauffa les idées noires qui me trottaient de sang froid dans la tête.

Mais ce n'était que le début de me déboires. La blanchisseuse vint me porter mes vêtements : veste, chemise et pantalon : brûlés! Au restaurant, le pain était moisi, le lait suri, le café trop sucré, le jus d'orange fermenté, les œufs brouillés, le bacon trop mou et les patates, frites. En sortant dans la rue, un chauffard m'éclaboussa d'asphalte fraîche et de peinture violette. «C'est pas grave!» que je me dis, tout en écrabouillant une fourmi qui claudiquait dans le caniveau. «Il y a des gens qui crèvent de faim dans le monde. Faut pas s'en faire avec ces fadaises!»

Mais les quatre pneus de mon bolide avaient été crevés, les vitres cassées, la peinture égratignée et les banquettes éventrées. «C'est pas grave... rien que des balivernes» que je me répétais à grands coups de pieds.

J'en étais là, mes biches et mes bouchons. Pour une fois, le destin me jouait des tours. C'est facile d'arrêter un bandit méchant : tu peux le voir, le toucher, lui parler, le tabasser. Le destin, lui, il ne boit pas, ne fume pas et ne drague pas, mais il cause... toujours des emmerdes aux moments inopportuns. Toute la ville était contre moi : le pigeon délestant son trop plein de carburant, la bouche d'égoût mal placée, le chien mal élevé, le tuyau d'échappement de la voiture cancéreuse, la mauvaise haleine du dentiste, la balle de baseball du petit voyou, la couche du bébé abandonnée, la grippe du chaffeur de taxi, le SIDA de la prostituée, la sauce à spaghetti de la serveuse de restaurant. Quand ça va mal, ça va mal!

Je retournai donc à mon appartement et plongeai tête baissée dans l'édredon bleu que ma maman m'avait tricoté, rêvassant à ma Masha à moi quand elle était encore accessible, toute fraîche, amoureuse de son idole. Je voulus sacrer contre l'accession des femmes aux postes clés dans le monde moderne! Mais je me tus, trop respectueux de la montée du féminisme mondial. Vous voyez comme je suis bon! Vous voyez comment Eugène sait être de son temps!

J'étais là depuis assez longtemps pour que le duvet commença à piquer quand on sonna à la porte. J'ouvris, la mine basse. Un rayon de soleil illumina les noirceurs de mes obscures idées funestes : Josette, ma toute belle, ma grande amie Josette, venait me rendre mon livre d'histoire grecque. O joie de l'amitié!

Oubliant du même coup Masha et ses ordres, je l'invitai à s'asseoir près de moi, sur le lit de mes douleurs, et le temps s'éclaira petit à petit, s'emplissant de doux moments.

Des oliviers plein les pages, nous flânions tous les deux à travers les antiques ruines, entourés de gracieuses statues au nez camus et aux bras sartriens (le néant, ben voyons!). Couchés dans mon grand libido (j'ai ici une drôle de sensation de déjà vu) je suçais des olives tout en serrant ma compagne dans mes bras. Le soleil de l'antiquité nous dardait et embaumait l'atmosphère méditerranéenne qui avait envahie toute la chambre. Que j'aime les voyages!

Soudain, j'entendis Josette me chuchoter : «Oh, mon bel Ulysse» et elle se mit à tisser. Le voyage prenait une tangente nouvelle. Pour jouer le jeu et ne pas la décevoir, je descendis du lit en lui envoyant la main et je dis : «Adieu Pénélope, je reviendrai dans Troie mois. La nymphe Calypso m'attend...» Surprise de ma culture, Josette réagit vivement, car il faut dire qu'elle était plutôt jalouse : «Mon petit pourceau, si tu vas chez Calypso, je te promets d'utiliser les trucs de mon amie Circé.» Légèrement décontenancé par son allusion maléfique, je repris : «Au lieu de te fâcher ma sirène, chante-moi donc une belle chanson d'amour.» Sûre d'elle-même, elle fredonna un air qui aurait rendu fou n'importe quel marin d'eau douce. Mais rapide comme l'éclair, je me bouchai les oreilles avec des bouts de chandelles qui traînaient sur la table de nuit. Elle trouva la blague à son goût et se mit à rire. Elle se leva debout sur le lit et cela produisit une curieuse ombre chinoise sur le mur; je crus apercevoir le spectre de Polyphème le cyclope qui me menaçait de ses bras tentaculaires. J'eus peur (je n'ai jamais peur dans la vraie vie mais il faut dire que ce voyage prenait une allure assez fantastique) et je courus me cacher sous la descente de lit en peau de mouton. Josette, de plus en plus énervée, se mit à crier : «Ulysse, où es-tu?» Je lui répondis en bégayant : «Ferme ton œil, tu vas voir.»

Josettte était tellement excitée qu'elle se mit à sauter dans le lit; elle finit par dégringoler par terre, en plein sur mes appendices masculins. Ayoille! mes Trois Riens et mes Troyennes! Cette chute termina mon cauchemar, l'ombre chinoise du Cyclope ayant disparue. Emmêlés dans la toison du mouton, vachement bien emmitouflés, nous étions maintenant revenus dans mon appartement de la rue Ithaque. Ouf! j'avais eu chaud!

Un pareil voyagement nous avait donné faim. Josette aurait mangé un shishe-kebab, moi des souvlakis. Emportés tous les deux par cet exotisme effréné, nous avons décidé de faire venir une grosse pizza garnie. Quel délice, après toutes ces émotions! Je tassais les poivrons tout en me battant avec la pâte quand on sonna à la porte. Je dus me couvrir d'une grosse tranche de salami pour cacher ma nudité tandis que Josette courait dans la salle de bain (j'avais pris la dernière tranche de salami). J'ouvris la porte.

— Eugène! Salut vieille branche! Toujours aussi sans-gêne!

C'était Réal Estate, mon courtier en valeurs mobilières et immobilières, qui faisait irruption dans ma vie, tel un cancrelat dans un cabinet de toilette. Je voulus le repousser mais ayant déjà ma main gauche occupée à tenir le salami, je dû m'avouer vaincu et subir sa présence. Une fois dans la cuisine, il enleva son manteau, ouvrit une immense malette et s'assit à la table.

Comme tous les vendeurs de balayeuses, Réal n'était pas barré à quarante. «Eugène! tonna-t-il joyeusement, j'ai une surprise extraordinaire pour toi...»

Au même moment, Josette sortit de la salle de bain. Elle avait trouvé un bout de papier mouchoir et avait pu se vêtir partiellement. En voyant cette Aphrodite moderne, il s'exclama:

— ... Mais je vois que toi aussi, tu me réservais une surprise! Je ne savais pas que tu étais en si charmante compagnie...

Flamboyant, tel un Zeus du haut de son Olympe, je lui ordonnai d'en venir au fait. Il continua:

— ... J'ai appris qu'une équipe d'archéologues a mis à jour une ruine grecque inconnue jusqu'à maintenant...

En entendant le mot «grecque», j'eus un sourire discret et j'envoyai à ma Pénélope un clin d'œil complice. Elle me répondit par une moue sensuelle qui me bouleverse encore. Réal ajouta:

— ... On peut investir dans ces recherches. Ça va sûrement rapporter gros. Regarde! ces photos : des bijoux, des glaives, des boucliers, des peintures, plusieurs statues, avec et sans bras, avec ou sans nez camus.

— Tu sais, moi, les nez d'existentialistes... tentai-je pour le faire renoncer.

— Il y en a même une sur laquelle c'est inscrit 502 avant Jésus-Christ! continua-t-il, délirant. C'est extraordinaire, n'est-ce pas?

Le malotru de Réal essayait encore de m'avoir avec ses combines à la gomme balloune. Josette, merveilleuse, qui avait tout saisi de ses manigances, grimpa prestement sur le divan, produisant une ombre chinoise digne du plus affreux cyclope. Réal, épouvanté, prit la poudre d'escampette (qui traînait sur un bureau) et disparut par la fenêtre. Malheureusement, je n'habitais plus au douzième étage.

Morte de rire, Josette redescendit du divan. Je l'embrassai pour la remercier de m'avoir débarrassé de ce courtier malhonnête (surtout qu'il m'avait volé ma poudre).

— J'avais compris qu'il essayait de te duper. Son baratin ne tenait pas debout! me dit-elle, heureuse.

— Quelle merveilleuse détective «privée» tu fais, mon amour!

Et elle me sourit tout en me lancant une sublime œillade, fermant les paupières violacées de son œil unique!

Josette dut s'en aller. Il en est toujours ainsi des doux moments de l'existence : il ne peuvent que s'écouler puis se faner et disparaître. Je me replongeai dans ma douillette, histoire de renifler à grands coups de naseaux les traces de parfum grec qui subsistait.

Or donc, ce 22 octobre 1982, régnait sur la ville un mélancolique temps de grisaille. Mon cœur était comme une ruelle, jonché de roses cassées et de sacs troués. J'attendais toujours le coup de fil décisif, celui qui me propulserait en plein suspence. Car la véritable aventure était encore à venir, celle qui me ferait côtoyer les pirates de Sarawak, les pandas de Chine ou les Pygmées d'Afrique.

Et soudain, vous l'aviez deviné, le téléphone retentit.

— Allôôôô... balbutiai-je, encore tout étourdi par l'amour.

— Eugène Breton? demanda une voix métallique de répondeur-questionneur.

— Ouiiiii...

— Ici Scotland Yard. Volez immédiatement vers Londres, votre destin vous y invite!

Et l'appareil, insensible aux émotivités normales de l'existence, coupa la ligne.

Cinq heures plus tard, j'étais à Londres, plus précisément dans l'East End, quartier populeux et plutôt misérable. Mon instinct seul m'y avait guidé. Le destin me conviait encore une fois à une nouvelle aventure; je n'aurais manqué pour rien au monde son rendez-vous.

Sur le coup de minuit, je sortis de mon hôtel pour une balade nocturne. À travers une épaisse brume, à la lueur de lampadaires vieillots, je ne voyais que des ombres, des silhouettes, des yeux arrogants, je n'entendais que des murmures menaçants. Mais je n'avais pas peur! Voyons donc! C'était plutôt moi qui les terrifiais! Un étranger dans leurs plates-bandes, un gentleman osant se promener au cœur de leur bled crasseux ne pouvait être qu'un individu audacieux à ne pas déranger. De temps en temps, mes réflexions philosophiques au sujet des mésadaptés sociaux étaient perturbées par des coups de feu, des explosions de bombes incendiaires, des cris, des engueulades et des bagarres. Mais je ne m'arrêtais surtout pas à ces peccadilles.

Une petite bruine accompagnait le plat. J'étouffais dans cette atmosphère «cliché», digne du plus poussiéreux des polars. Ce quartier de la ville était sûrement dangereux. Mais on s'en fout, n'est-ce pas? Que serait la vie sans danger?

Je poursuivis ma route, au hasard des détours, pour aboutir dans un petit pub crasseux aux odeurs de renfermé. La fumée de cigarette qui s'en dégageait était plus épaisse que le smog londonien. On distinguait à grand-peine quelques cloisons éventrées qui avaient probablement été des murs, un plafond bas dégouttant de suie et quelques barreaux de bois qui avaient dû servir de dossiers de chaises à un moment donné. Lorsque je mis le pied dans ce lieu infect, tous les occupants se turent, à l'exception d'un vieux saxophoniste; ses quelques notes de jazz me donnèrent l'impression d'arriver en enfer. Des douzaines de yeux glauques me fixaient. Un barman aux cheveux gras et au triple menton semblait frotter à perpétuité un verre dépoli.

Je m'approchai d'un long comptoir humide et je remarquai, à la droite du musicien, trois superbes jeunes femmes nues. En fait, le nuage de nicotine gazéifiée ne me permettait que d'entrevoir leurs formes: des courbes idylliques, mes amours et mes amourettes! Mais à la vue de ces déesses entourées de reptiles puants, de beaux minables hommes des tavernes, de rustres rupestres et d'anglais anguleux, je me dis qu'il y avait quelque chose de louche là-dessous et que les trois amazones n'étaient pas amoureuses. Je gardai mon calme. Mon nase aquilin flairait un effluve cadavéreux dans les fragrances traquées de ces trois chéries.

Mine de rien, je brisai le silence persistant en demandant une cervoise; le gros dégueulasse derrière le comptoir délaissa son tesson de verre et me servit une bière aussi fraîche qu'une schlitz débouchée qui aurait servi d'aquarium à des mérous en hibernation. Comme j'hésitais à tâter du goulot, il rompit lui aussi l'absence de son qui régnait en tonnant d'un grrrrrand rrrrrirrre grrras rrroulant dans les grrraves. Il me dit, charmant:

— *Deon't yeoh like yeore beer, mista?*

— *Oh! I love it, my dear... what brand is it? Schlit???*

Tout la racaille de l'univers me dévisageait. Je m'attendais à n'importe quoi.

— *Yeo're a mawn of spririt!* me dit l'ogre.

— *Ff... thank you, sire!* répondis-je en scrutant les morceaux brunâtres de matière plastique en décomposition qui flottaient dans mon verre.

— *Yeo should drrink the liquid in yeore glass. Weo're waiting f'you t'join us.*

Subito, je me bouchai le nez et j'avalai d'un trait le contenu de ma bouteille. Je tiens à ma peau... quand même! Tout en dégustant cet élixir *aphreudisiaque*, j'essayai d'imaginer une manière d'entrer en contact avec les trois Vénus. Des ondes négatives parvenaient positivement à mon cerveau; mon flair me disait qu'elles souhaitaient ardemment communiquer avec moi.

Après ce petit intermède, la salle se réanima et la musique devint plus entraînante. Une bagarre éclata dans un coin; deux géants se donnaient des coups de couteau. Un mastodonte, probablement le portier, les arrêta net en leur tirant une balle de revolver dans chaque main. Il leur demanda de faire la paix en se serrant les menottes. Pendant ce scénario digne de rocky IX, je jetai un coup d'œil dans la direction des trois Eve qui, infatigables, se dandinaient sur la piste de danse. Elles m'imploraient, mes bobos et mes bobettes, elles me priaient de les secourir. Elles avaient senti que j'étais du côté des bons. Je me devais de penser à un plan au plus vite.

Je me dirigeai prestement vers les toilettes. N'est-ce pas le meilleur endroit pour réfléchir? Ne dit-on pas qu'il se brasse les plus grandes idées dans certains cabinets?

En ouvrant la porte, j'eus une vision d'apocalypse; les gens ne se vidaient pas dans ces toilettes, ils se remplissaient! Dans un coin, quatre loques s'injectaient de la morphine dans les orteils. Dans un autre coin, huit jeunes hommes essayaient de faire du ski avec leur nez sur un petit monticule blanc-neige. Près de la porte, un quasi-cadavre tentait d'inhaler de la colle par les pores de la peau. Assez! Assez, c'est assez! Ce pub n'était rien d'autre que l'antre du diable. Il me fallait coûte que coûte trouver un moyen de sortir les trois sylphides de cette impasse.

Revenant en trombe vers le bar, je ne fis ni une ni deux — elles étaient trois — et je proposai au barman de me vendre les trois comtesses. Il me dit oui et me les solda avec un coup de poing dans le front qui me propulsa dans les bras de Morphée.

Rien. Néant. Obscurité. Voilà l'absurdité de la vie. Je ne me souviens plus de ce qui se passa par la suite. Etre assommé n'est pas dormir; on a plutôt l'impression de subir une lobotomie à partir d'une incision dans la plante des pieds et d'avoir des morceaux de cerveau manipulés avec des pinces de homard.

Je ne m'éveillai que le lendemain, vers quatorze heures, dans le train Londres-Paris. Il s'était passé quelque chose... j'en étais sûr... mais allez donc vous rappeler quoi? J'étais dans tous mes états. Oser faire un pied-de-nez à Eugène Breton! Je me sentais aussi rageur qu'un raz-de-marée. L'histoire de ces bandits devait finir dans un cul-de-sac! Je ne me ferais pas damer le pion par cette bande de va-nu-pieds. Une fois à Paris, je sautai dans un avion qui m'emmena à l'autre bout de l'arc-en-ciel et du tac-au-tac, j'étais de retour, dans le feu de l'action. Ce voyage Londres-Paris n'avait été que le trait d'union entre le destin et ma colère!

Une fois devant le pub, le Fork Loft, je m'aperçus qu'il était vide de toute vermine. J'entrai par la porte qui n'était pas barrée (moi non plus d'ailleurs). En faisant l'inventaire des objets de la place, mes yeux de faucon aperçurent un bout de papier dans une fente (une craque, pour les incultes) de la piste de danse. Je le délivrai de ses tourments, m'assis, me grattai la nuque, frottai mes yeux doux, me versai un bon verre de scotch et lus le message:

«Monsieur, nous ne savons pas qui vous êtes, mais vous devez nous aider. Nous sommes prisonnières. La vie de notre petit frère est en jeu. Ils nous ramèneront ici ce soir et nous vendront aux enchères. Aidez-nous. Vous êtes notre dernière chance.»

Katia, Sonia, Maria

Étrange, mes cocos et mes coquettes. Ce petit message romanesque était-il un guet-apens? Je décidai néanmoins de mettre tout en œuvre pour sauver les trois duchesses de ce merdier. Mais je me devais d'attendre le retour des gais tapants.

Il ne me restait que quelques heures avant l'assaut final. Pendant que les desperados tuaient de tout sauf le temps, moi, je dressais mon plan. Primo : changer d'hôtel. On me connaissait trop bien dans le quartier.

Secundo : visiter le British Museum. Rien de mieux qu'une rencontre avec les Grands Maîtres et l'Histoire pour se revigorer les cellules grises. Tertio: un petit *tea* agrémenté d'un cordial *chat* avec Liz et Di.

— Ah! Tiens! Ne voilà-t-il pas le charming Breuton! *It is so exciting to see you again!* s'exclama la reine qui se tordait de rire à l'avance.

— *How do you do, sweet darling?* me dit Di en esquissant un sourire à faire battre les oreilles de Charles.

Enfin... je ne vous raconterai certainement pas ce qui se passa car vous m'accuseriez alors d'avoir courtisé le trône d'Angleterre.

Et passant d'une histoire de cabinet à celle plus glorieuse d'un trône, je revins vers les vingt-deux heures à mon nouvel hôtel, face à Picadilly Circus. J'y fignolai les derniers détails de mon plan rocambolesque.

Une heure plus tard, je réapparaissais au Fork Loft, endroit oublié des dieux. Ce trou infect était toujours vide de sa crasse mouvante. J'en profitai pour m'infiltrer sous la piste de danse, une bouteille de scotch à la main. Vers deux heures du matin, la salle était pleine à craquer (pour les incultes, on ne dit pas «à fenter!»).

Les Belles et les Bêtes se laissaient aller. Les Belles, les pauvres, devaient danser au son de notes vicieuses. Pendant ce temps, votre ami Eugène regardait par une fente qui craquait. Ouf!!! Quel spectacle!

Les Bêtes riaient de moi; ils se remémoraient la veille. «Rira bien qui rira le dernier», me dis-je en espérant avoir inventé une nouvelle maxime digne de mes plus grands exploits. J'étais sur le point de passer à l'action quand un silence profond encombra la place. J'attendis quelques instants; l'heure des enchères était arrivée et Katia était envoyée à l'abattoir. Les génisses pleuraient, les bœufs écumaient. L'encan ne se faisait pas en livres ou en dollars mais bien en services rendus : jambes cassées, meurtres, attentats à la bombe, vols de sacs à main, vols par effraction, vols à main armée, vol au-dessus de nids de coucou, etc.

Au moment ou Katia fut adjugée pour meurtre prémédité, j'actionnai mon dispositif libérateur; la scène s'ouvrit et les trois dames atterrirent à mes pieds. La trappe se referma aussitôt et j'exhortai les nymphettes à me suivre dans un trou que j'avais creusé sous la scène et qui menait à la cave (que je ne vous décrirai pas).

Vous vous demandez peut-être où j'avais pris le temps d'effectuer de tels travaux? Tout simplement en attendant les salauds! Et avec quel matériel? Je ne le vous dirai pas : secret professionnel. Comment avais-je pu savoir qu'il n'y aurait personne au Fork Loft avant la fin de la soirée? Grâce à mon instinct de détective! Et en voilà assez des explications rationnelles qui vous bousillent tout le charme d'une aventure. Si vous voulez plus d'information, écrivez à l'éditeur! Vous verrez ce qu'il vous répondra!

Pendant ce temps, dans le Fork Loft, on s'affairait à détruire la scène. Nous courûmes vers la seule fenêtre de la cave-dépotoir. Ce fut à ce moment que je me rendis compte que quelque chose m'avait échappé : j'avais oublié le linge et je me sauvais en compagnie de trois nuvites! Voilà ce qui arrive quand on veut être parfait! Une fois dans la rue, je me déshabillai, tentant de couvrir la nudité de mes sprinteuses. La foule, ébahie, nous applaudissait, sifflait, encourageait. Certains badauds prenaient des photos; quelques-uns recrutaient des membres en faveur du renouveau mondial pour les nudistes libérés. Nous atteignîmes ma voiture pendant que des «boubis» débobinés brandissaient leurs matraques pour diriger la circulation. L'offensive avait tellement bien fonctionné que le malfaiteurs eux-mêmes en avaient perdu leur cockney.

Notre randonnée fut courte mais émouvante. Les trois évadées ne purent s'empêcher de m'embrasser de la tête aux pieds, de me caresser des pieds à la tête. Nu comme un ver lorsque je passai devant Trafalgar Square, j'eus l'impression que le bon vieux Nelson lui-même me regardait. Les employés de l'hôtel furent très surpris de nous voir entrer; moi, camouflé derrière ma carte de crédit et les filles, habillées en tiers de garçon! Une fois dans ma chambre, enveloppés dans de beaux draps blancs, un verre de cognac à la main, les trois reines calmées me racontèrent leurs mésaventures. Katia, vingt-trois ans, cheveux blonds, yeux verts, sortie tout droit d'une revue de mode, prit la parole:

— Tout a commencé il y a un mois. Notre père est mort après une longue maladie. Il nous a laissé une fortune et la garde de notre petit frère Misha. Quelques jours après les funérailles, nous soupions tous les quatre dans notre résidence de Montréal quand...

Sonia, vingt-et-un ans, cheveux châtains, yeux noirs, buste athlétique et taille de guêpe, continua:

— Ils ont enlevé Misha et laissé une enveloppe qui contenait une photo et un message. Sur la photo, on voyait un jeu de scrabble sur lequel était écrit «un million de dollars». Il y avait aussi des pistolets, un atlas, une bouteille de scotch et un cendrier plein de mégots. Le message disait de déposer le quart du montant dans chacun des aéroports de Brasilia, Calcutta, Ankara et Singapour.

Maria, vingt ans, cheveux noirs, yeux bleus, dents blanches et peau nacrée, ne demandait pas mieux que de poursuivre:

— On a fait ce qu'ils ordonnaient, mais après le dernier versement, on a reçu un autre message. On devait retrouver notre frère en Angleterre. C'est alors que tout s'est gâté. On nous a séquestrées dans ce pub et on nous a obligées à y travailler. Sans quoi, ils auraient tué Misha.

En les écoutant, je ne pus m'empêcher de songer à l'horrible moment qu'elles avaient dû vivre. Que le monde est donc pervers! Je les embrassai sur le front, paternaliste, peut-être même un brin amoureux. J'appelai Scotland Yard et leur demandai de faire surveiller la chambre. Je dis à mes héroïnes qu'elles y seraient en sécurité et devant leur six yeux stupéfaits, je leur annonçai que je savais dans quelle ville était détenu Misha.

Quelques heures plus tard, grâce à la rapide intervention de la police, leur frérot était délivré et les Bêtes cruelles, enfermées. J'avais chaud au cœur d'être si fier de moi.

Certains lecteurs auraient sûrement apprécié que je décrive plus en détail les beautés naturelles des trois petites sœurs. Eh bien…

Trois jours après, je les invitai à une petite réception afin de leur expliquer comment j'avais résolu cette énigme. Je reçus les trois cavalières de l'apocalypse dedans mon chez-moi. Possédant une piscine intérieure, je leur avais suggéré d'apporter leur maillot de bain. Une bénédiction, chers voyeurs! Et patati, et patata…

Tout en servant l'apéro, je fus accosté par la tendre Maria, l'athlétique Sonia et la plantureuse Katia.

— Et maintenant, peut-on savoir comment vous avez découvert où ils détenaient notre petit monstre de frère?

— Eeuuu… m'emberlificotai-je en renversant le contenu de ma bouteille sur le bustier généreux de Sonia.

— Eugène…

— Oh! pardon! fis-je en arrachant par mégarde la jupe de Katia, confondant son vêtement et le torchon de table.

Elles riaient. L'une d'elles, je ne me rappelle plus laquelle, me tarauda un baiser d'acier qui me remit d'aplomb.

— Eh bien, voyez-vous, mesdemoiselles, l'instinct et la chance sont mes deux meilleures amies… ou l'étaient jusqu'à ce jour, fis-je, poli. Or donc, quand vous m'avez parlé d'une photo sur laquelle apparaissaient différents objets, j'ai pressenti que l'atlas n'y servait pas simplement de parure. Vous m'avez ensuite nommé quatre villes. J'ai aussitôt déroulé ma mappemonde mentale et tracé une ligne entre les cités de Calcutta et de Brasilia, de même qu'entre celles de Singapour et Ankara. Et Bombay est apparu, comme par enchantement! Aussi simple que de...

Je n'avais pas eu le temps de terminer mon anecdote que les trois pétroleuses firent quelque chose de très simple : elles plongèrent toutes nues dans ma piscine qu'elles emplirent d'une surréaliste beauté. Je plongeai à mon tour, histoire de me souvenir de mon papillon, et...

Et... survint alors un événement qui faillit me faire perdre la boule complètement.

Des seins flottaient un peu partout, des grands lambeaux de peau aussi, armés d'ongles. Je me débattais au milieu de nez, de pieds, de dentiers et de longues chevelures qui venaient m'étouffer. Je nageais en plein cauchemar.

Mais où étaient donc Maria, Sonia et Katia? Qu'est-ce qui se passait?

Soudain, alors que je tentais d'inspirer une petite gorgée d'air, je me sentis happé vers le fond par une poigne géante et dû prendre le chemin des ombres sous-marines. Tout devint plus flou; j'avalais de l'eau et fut bientôt envahi par la désagréable impression que j'allais me noyer.

Mais j'entendis des rires étouffés, comme si plusieurs jeunes femmes s'étaient foutues de ma gueule en même temps. Un de mes valeureux coup de ciseaux à la japonaise me permit de revenir in extremis à la surface.

Et j'eus alors la surprise de ma vie:

Masha et Josette m'attendaient, ingénues, sur le bord de la piscine. Elles avaient perdu leur déguisement en plongeant dans l'eau et m'apparaissaient maintenant, toutes nues et toutes belles, comme dans un rêve. Et un peu en retrait, radieuse, Lady Di me faisait le plus charmant et le plus royale signe de la main!

J'avais été victime d'un coup monté! J'étais démonté! Ces trois démones m'avaient fait courir les pires dangers rien que pour rire! Elles avaient abusé de ma bonté. Elles avaient voulu vérifier toutes mes capacités en inventant la plus sordide machination! J'étais... J'étais... Heureux!

Six magnifiques bras se tendirent en même temps pour m'aider à sortir de la piscine. Et Eugène Breton apparut à ses amies tel qu'il avait toujours été : Jeune! Génial! et Généreux! Et si vous voulez savoir ce qui se passa par la suite, servez-vous de votre imagination! C'est bien meilleur et plus sain. Délectez-vous de vos fantasmes enrichis les plus gracieux et inventez donc une fin à cette aventure.

Stanley Péan

Ban mwen yon ti-bo

Stanley Péan

Né à Port-au-Prince (Haïti) en 1966, **Stanley Péan** a publié dans bon nombre de revues québécoises ou européennes, principalement des nouvelles fantastiques. Ex-membre de la troupe de *stand-up comic* **"Le Groupe Sanguin"**, il préside depuis 1986 aux destinées de *L'écrit primal*, revue littéraire du Cercle d'Écriture de l'Université Laval (CEULa) Inc., dont il est rédacteur en chef.

Dans la nouvelle qui suit, il nous propose «une brève excursion dans la psyché de l'homme haïtien, perçu à travers sa relation pour le moins trouble avec la Femme, la phobie de la paternité et l'héritage vaudou.» Tout un programme, surtout si l'on considère, que, malgré toutes ces aspirations à la profondeur, ce texte demeure, d'abord et avant tout, un joyeux mélange de fantastiques traditionnel et plus moderne, d'horreur et d'humour noir (ou devrait-on dire *nègre?*) que son auteur dédie, comme il se doit, à son inspirateur premier : Richard Matheson.

Publications dans:

Carfax #19/20, 26/27, 32, 37
Délirs #1
L'écrit primal #3
Humanitas #20/21
Magie Rouge (Belgique) #16
Moebius #31
Résistances #8
Solaris #66
XYZ #10

Ban mwen yon ti-bo

(Donne-moi un baiser)

en hommage à Richard Matheson.

Morte!

Cette nuit-là, la sournoise conviction lui assaillit l'esprit avec la soudaineté d'un raz-de-marée. Pourquoi avait-elle attendu tout ce temps avant de se manifester, Raoul Célestin n'aurait su le dire; mais elle s'imposait maintenant à lui tel un récif dans la tempête.

Au fond, le pourquoi n'était d'aucun intérêt; ce qu'il importe de dire, c'est que cette nuit-là, tandis que Raoul était étendu auprès de sa compagne dans le silence de leur appartement somnolent, l'horrible certitude monta en lui telle une houle démentielle:

Katherine, celle avec qui il partageait ce lit de tendresses passées, était morte. Et ce corps fragile qui roupillait à ses côtés, à peine soulevée par une respiration régulière et stertoreuse, était un cadavre.

Katherine? Un zombi? se questionnait-il, luttant

213

contre l'insensée conviction qui submergeait sa raison. *Comment est-ce possible?*

Mais des ténèbres glacées qui remuaient au-dedans de lui ne vint aucune réponse.

Au baiser de Katherine sur sa nuque, il échappa sa tasse de café et porta une main à sa poitrine, pour empêcher son cœur de s'en arracher.

— *Hò-hò?* Mais qu'est-ce qui te prend? s'étonna-t-elle. On croirait qu'un loup-garou t'a mis la patte dessus?

— Je suis désolé, Katou, bafouilla-t-il en épongeant le dégât sur le dessus du comptoir. Je ne t'avais pas entendue arriver...

Il se versa une nouvelle tasse de café.

— Tu m'en sers une, s'il te plaît, demanda sa femme qui vraisemblablement cherchait encore la source du malaise.

Il acquiesça sans un mot et tendit à Katherine la tasse demandée, en prenant bien garde que leurs doigts ne se touchent.

Katherine haussa un sourcil inquisiteur et prit place devant la table à manger. Les roses lueurs d'un jour encore enfant esquissaient des souvenirs sucrés sur sa peau lisse et chocolatée. Raoul se surprit à la trouver encore jolie, même après sept années de vie commune sous deux latitudes, et la pensée perverse que jamais, au Canada, au pays ou ailleurs, on n'avait vu de cadavre mieux conservé lui traversa l'esprit... Il dut lutter pour bloquer l'entrée aux images de chair putréfiée, rongée par les vers qui cherchaient à s'insinuer en lui.

— *Non!* finit-il par rugir à demi-voix pour évacuer les visions macabres.

Levant les yeux vers le visage trop parfait en face de lui, il réalisa que Katherine venait de lui adresser la parole. «Oh, excuse-moi, fit-il distraitement. Je ne t'écoutais pas...»

— Je m'en suis bien rendu compte. Je t'ai demandé où tu allais de si bonne heure ce grand-matin, ni rasé ni coiffé, répéta Katherine, de plus en plus angoissée par ce comportement bizarre. Tu ne travailles pourtant jamais le dimanche, ta boutique n'est même pas ouverte...

— C'est que je, j'ai quelques courses à faire..., mentit-il gauchement en enfilant son veston à la hâte. Je ne serai pas bien long, promis...

— Oh Raoul, pendant que tu es en ville, tu pourrais passer à la pharmacie m'acheter de la lotion, s'il te plaît? Je ne sais pas ce que j'ai, ma peau est toute déshydratée depuis quelque temps...

— D'accord, j'essaierai d'y penser, lui assura-t-il en s'étranglant avec sa salive.

Il se pressa vers la porte, mais la voix de Katherine interrompit son élan et l'immobilisa sur le seuil.

— Raoul? Et mon bis? s'indigna-t-elle, sur un ton mi-taquin, mi-grave. Tu n'allais pas sortir sans me donner mon bis, j'espère?

Non! Elle ne peut pas me demander ça..., songea-
t-il, étouffé par la panique. Debout devant lui, les poings
sur les hanches, Katherine attendait son bécot de pied
ferme.

Temps mort.

Crispé, il fit un pas vers elle et, à la dérobée,
effleura de ses lèvres cette chair qu'il redoutait tant. À ce
baiser hésitant, Katherine fronça les sourcils, interloquée,
mais avant qu'elle n'eût prononcé le moindre mot, Raoul
s'était déjà éclipsé.

Les yeux noirs cadrés par la visière le scrutèrent
suspicieusement et, durant cet interminable silence, Raoul
eut la singulière impression qu'il n'y avait personne de
l'autre côté de la porte et que cette paire d'yeux méfiants y
avait en fait été greffée.

Lorsqu'il réitéra sa requête, avec urgence, les yeux
clignèrent et, grommelant quelque chose d'inarticulé,
l'homme daigna enfin lui ouvrir.

— *Tann mwen la,*[1] lui ordonna son hôte, un
énorme mûlatre aux narines de gorille, avant de s'en-
gouffrer dans le sombre corridor.

Dès qu'il eût tourné les talons, une vague de parfums déferla sèchement sur Raoul, à croire que le corps
du primate nonchalant avait constitué un barrage qui les
avait empêchés d'atteindre le nouveau venu. L'apparte-

[1] «Attendez-moi ici.»

ment exhalait vers lui une haleine fétide où se mêlaient effluves de friture, de haschish et de mangues trop mûres. L'endroit était incroyablement miteux, même pour ce quartier mal famé; paupières closes, Raoul se serait plus volontiers cru dans quelque bidonville des Gonaïves qu'en pleine métropole québécoise.

Un grogrement du gorille l'arracha à ses cogitations; *Papy Bòkò* le recevrait, moyennant un déboursement de cinquante dollars. Acquiesçant à ce prix selon lui équitable, vu les circonstances, Raoul fit un pas vers la salle de méditation du *houngan,*[1] mais le mûlatre lui bloqua le chemin, mine nouée et main tendue. Évidemment! Raoul tira un billet de cinq dollars de sa poche et le glissa dans la main du mastodonte qui ne s'écarta cependant que lorsque Raoul eût doublé sa mise.

Cerclé de statuette d'acajou représentant divers personnages du pantéon vaudou, *Papy Bòkò* était assis au milieu de la pièce, en position de lotus, les yeux fermés, devant l'inévitable encensoir qui imprègnait l'air de mysticisme. C'était un petit nègre chétif, au visage rabougri planté au bout d'un cou frêle qui faisait songer on-ne-sait-pourquoi à une tortue.

Raoul n'avait jamais consulté de *houngan* — son père, ministre baptiste, l'avait élevé dans le plus sincère mépris de «ces ridicules superstitions pour gens *d'en-*

---

[1] Prêtre vaudou, mage.

dehors [1]» — mais il avait entendu de ces histoires selon lesquelles il estimait le présent tableau tout à fait vraisemblable.

— C'est pour te faire couper les cheveux que tu es venu? interrogea en créole le vieil homme d'une voix éraillée qui sonna à l'oreille de Raoul comme une pluie de gravier sur un toit de tôle.

— Non, *Papy Bòkò,* je viens pour..., commença-t-il, mais de son index, le mage lui imposa le silence puis lui pointa un petit panier rempli de billets au pied d'une statuette de *Damballah-Wedo.*

Avec un soupir résigné, Raoul déposa son offrande au dieu-couleuvre puis s'assit en face de *Papy Bòkò* qui gardait les paupières closes.

— Ce n'est pas pour te faire couper les cheveux...?

— Non, *Bòkò,* je ne viens pas pour mes cheveux. C'est au sujet de ma femme...

— Pour ta femme, hein? C'est triste, *msyé;* tu aurais moins de problèmes si c'était pour tes cheveux...

Raoul approuva d'un signe de tête, même si cette affirmation n'avait rien à voir avec son problème et se surprit à se demander, absurdement, s'il ne ferait pas mieux d'en profiter pour se faire coiffer par le *houngan* qui, c'était de notoriété publique, avait toujours raison. «*Dim-non, msyé,* enchaîna alors *Papy Bòkò, sa madam-*

---

[1] Péjorativement, paysans, gens de la campagne.

ou gen-yen?» [1]

— Euh, je, eh bien voilà, hésita Raoul qui ne savait plus trop par quel bout commencer, je crois que ma femme est morte et zombifiée...

Le vieil homme ouvrit brusquement les yeux. Voilà! Il avait énoncé l'abominable à haute voix et le tout lui avait paru encore plus abracadabrant que dans le silence morbide de son esprit.

— Comment le sais-tu? demanda calmement *Papy Bòkò*.

— Je ne pourrais pas expliquer comment, avoua Raoul, mais je le sais , je le sens; Katherine est morte et je vis avec son cadavre depuis au moins trois ans...

— Et que puis-je pour toi?

— J-je ne suis pas certain, je crois... J'aurais voulu que vous me conseillez sur un moyen de m'assurer que ce cauchemar est bien réel, que je n'ai pas perdu la boule...

Le *houngan* laissa le silence s'étirer sur d'agonisantes secondes avant de pointer à nouveau l'insatiable panier de *Damballah*. Une fois que Raoul eût ajouté un nouveau billet, le mage se mit à entonner à demi-voix une incantation dans une langue qui ressemblait à un dialecte africain. Puis au bout de quelques minutes de gesticulations aussi obscures que les incompréhensibles refrains, *Papy Bòkò* rouvrit les paupières.

---

[1] «Dis-moi, donc, monsieur; qu'est-ce qu'elle a exactement, ta femme?»

— *Tandé-m ben, msyé,* [1] déclama-t-il sur un ton solennel. Si ta femme a véritablement été, comme tu le dis, zombifiée, tu pourras t'en assurer dès la prochaine fois que tes yeux croiseront les siens car le regard du zombi est un regard vitreux.

— Katherine porte des lentilles de contact permanentes...

— Alors essaie de lui faire avaler du sel, en grande quantité : le zombi ne peut manger de sel.

— Katherine n'a jamais pu manger de sel. Problèmes de tension artérielle...

— Confronte-la à un crucifix; le zombi ne peut supporter la vue d'objets religieux.

— Ce serait pas plutôt les vampires?

Papy Bòkò sembla sur le point de s'indigner de cette objection mais se ravisa et sortit de son boubou un petit flacon de verre empli d'un liquide bleu. «Qu'est-ce que c'est?»

— Un élixir de vérité, répondit le vieux nègre avec pompe. Une seule gorgée de ceci et tes facultés de perception seront décuplées; tu deviendras apte à percevoir des choses qu'Antoine Langommier[2] lui-même n'aurait jamais soupçonnées, capable de percer à jour n'importe quel déguisement ou illusion...

Intrigué, Raoul tendit la main vers le précieux

---

[1] «Écoute-moi bien, monsieur.»
[2] Célèbre clairvoyant haïtien.

flacon mais, d'un mouvement brusque, *Papy Bòkò* l'éloigna hors de sa portée et lui pointa du menton le petit panier de *Damballah*.

«Tu es sûr que tu ne veux pas en profiter pour te faire couper les cheveux, *kompèr?* ajouta le *houngan*, bon vendeur, alors que Raoul reculait vers la porte. Ça ne te coûterait pas trop cher, je t'assure...»

L'interloqué hésita un moment, déclina l'offre d'un signe de tête et sortit. Bientôt, le vieillard put se mettre à compter avidement la somme des offrandes tandis que Raoul serrait dans son poing le flacon qui, il le souhaitait de tout son cœur, renfermait la solution de son dilemme.

— Raoul? Hé, Raoul!

Raoul s'immobilisa; devant la boutique d'aliments importés de l'autre côté de la rue, un compatriote serrait un sac de papier brun contre sa poitrine d'une main et, de l'autre, tentait d'attirer l'attention de Raoul. «*Hé, tèt-boulèt,*[1] par ici!» criait-il de plus belle en se faufilant entre les vagues de la circulation ralentie.

— Henri Jean-François? s'étonna Raoul. Comment se fait-il que tu sois déjà revenu, *mèt?* Je croyais que tu devais passer huit mois au pays?

— Ah, mon cher, Haïti n'a rien à faire des intellectuels; tant qu'à chômer, j'aime encore mieux le faire dans le confort, expliqua Henri. Mais regardez-moi ce

---

[1] Sobriquet créole familier, utilisé pour décrire quelqu'un dont les cheveux sont mal coiffés.

vagabond, proprio de boutique d'informatique, gras comme un voleur mais pas peigné ni rasé; depuis quand Katherine te laisse-t-elle aller aussi mal fagoté? Et puis, qu'est-ce qu'un *gran-manda* [1] comme toi vient foutre dans ce quartier de malheureux?

— J-je, j'avais une commission à faire chez un cousin à moi, bégaya Raoul sans conviction.

— C'est quand même drôle; j'avais presque l'impression que tu revenais de chez *Papy Bòkò*...

— Allons donc, se défendit Raoul instinctivement, en glissant discrètement le flacon dans sa poche. Quelle idée...

— Sait-on jamais? Les Haïtiens sont des gens drôles; ils viennent vivre à Montréal ou New York, dans la société moderne et hyper-industrialisée des Blancs, deviennent informaticiens ou docteurs... Et pourtant, ils n'arrivent pas à laisser derrière eux leurs croyances ridicules. Mais, dis-moi, tu vas où maintenant?

— Nulle part. Euh, c'est-à-dire, je m'en allais chez moi...

— Alors suis-moi; je vais te donner une *roulib* [2]...

Raoul emboîta le pas à son copain qui continua à philosopher, même après qu'ils eurent pris place à bord de sa vieille Chrysler. «Tiens, je connais une jeune paysanne — en fait, c'est une cousine à moi — qui, à peine

---

[1] Ironiquement, un personnage important, un gros bonnet.
[2] Donner une roulib à quelqu'un: le reconduire quelque part.

débarquée à Montréal, est arrivée face à face avec une porte automatique, à l'aéroport. Et tu sais quelle réaction elle a eue quand la porte s'est ouverte toute seule?»

— Non...

— Elle s'est mise à injurier la porte: *"Ah non! M-pa nan bagay kon sa, non! Pou w-ta vinn pousuiv-mwen jus nan Kanada?"* [1] qu'elle hurlait, convaincue qu'elle s'adressait à des *loas* [2]...

Henri s'esclaffa d'un rire aigu et contagieux. Les deux compères se lancèrent alors dans une revue de souvenirs cocasses du pays et de ses gens et Raoul s'avisa avec surprise et soulagement que ses mains ne tremblaient plus.

Toutefois, dès que l'auto se fut arrêtée devant l'entrée de l'immeuble, il sentit la panique s'inoculer de nouveau en lui. Il pensa à offrir à son copain de descendre un moment, pour prendre un grog, regarder le match de foot à la télé, n'importe quoi pour ne pas être seul avec Katherine. Mais il n'osa pas, de peur qu'Henri ne demande des explications et, après un échange d'adresses, de numéros de téléphones et de promesses d'une soirée d'audience entre compères, la Chrysler ne fut pas longue à disparaître au bout de la rue.

La porte de l'appartement s'ouvrit sans grincer et Raoul constata avec un soupir de soulagement que Katherine était sortie.

---

[1] «Ah non! Je ne marche pas! Vous m'auriez poursuivie jusqu'au Canada?»
[2] Divinités, esprits.

Dans sa chambre, il vida ses poches, un peu honteux à l'écho des paroles d'Henri, et déposa le flacon sur la table de chevet, s'évertuant à penser à autre chose. Comme par exemple à la franchise de Multi-Logic dont il avait récemment fait l'acquisition et dont les affaires allaient comme sur des roulettes. Irrémédiablement, ses pensées vagabondes revinrent à Katherine; il se rappela les vacances au pays qu'il lui avait promises pour l'automne. Inexplicablement ému, il se retourna et chercha dans l'oreiller le souvenir parfumé qu'elle aurait pourtant dû y laisser.

Pas la moindre odeur.

Terrifié, Raoul empoigna le flacon et en ingurgita le contenu d'une seule traite.

Il se redressa en un bond, attendant que l'élixir miracle fasse effet et—

Et rien.

Ni explosion kaléidoscopique, ni langue de feu céleste, ni le moindre phénomène de cet acabit.

Seulement un goût amer de traîtrise.

Réprimant quelques jurons, Raoul lança la fiole vide contre le mur. Il s'alluma une cigarette et l'éteignit aussitôt, pestant contre le charlatan et aussi contre sa propre naïveté puis se tourna vers le bout d'été encadré par le châssis.

Il se leva pour ouvrir la fenêtre, mais n'avait pas fait un pas que la chambre se mit à tournoyer comme un manège.

Il retomba lourdement sur le matelas, luttant contre la torpeur nauséeuse qui le gagnait.

L'éclat du soleil sur le plafond blanc l'étourdissait; il ferma les yeux une fraction de seconde et n'en trouva la pièce que plus aveuglante de lumière. Ses paupières se refermèrent d'elles-mêmes et, doucement, rumeurs, parfums et voix montèrent de l'obscurité.

Au contact de la main sur son épaule, Raoul rouvrit les yeux et ne trouva pas la force de s'étonner du décor autour de lui: un cimetière des Gonaïves.

— Ça va, *mèt?* s'inquiéta Henri en le secouant un peu. Pendant un instant, j'ai pensé que tu allais être malade...

Raoul entrouvrit les lèvres sans parvenir à articuler. Derrière son copain, un cortège funèbre cahotait sur le sentier de terre vaseuse qui serpentait entre les stèles. «Bon, on y va?» reprit Henri en le pressant sans le brusquer.

Sans un mot, Henri et lui rejoignirent le peloton. Il n'y avait pas un seul enfant dans tout le cortège et, curieusement, ce détail semblait d'une importance particulière. Derrière eux, cachée par les pleureurs, une femme que Raoul voyait mal sanglottait à petits cris irréguliers et jurait contre ce vagabond qu'elle accusait d'avoir entraîner sa fille dans l'exil pour mieux l'assassiner.

Raoul porta une main à son front; sa tête bourdonnante des migraines du soleil, du chant de cigales et du

crépitement de l'herbe sèche le faisait souffrir atroce-
ment. Tout en avant, encadré par deux jeunes prêtres, le
curé chantonnait dans une langue que Raoul supposa être
du latin. «Évidemment, lui murmura Henri, on chante
dans une langue morte pour les mortes...»

Lorsqu'enfin le cortège s'immobilisa devant un
somptueux mausolée au sommet de la colline, le silence
s'abattit sur les pleureurs, plus lourd et plus écrasant que
l'impitoyable soleil de sang. Les religieux baissèrent la
tête pour se recueillir et le reste du convoi les imita. La
mère de la défunte, au second rang, marmonnait toujours;
Raoul la chercha du regard sans parvenir à la distinguer
de toutes ces femmes en deuil. Il épongea son front; la
fièvre lui battait aux tempes. Au bout d'une interminable
psalmodiée oraison à demi-voix, le curé se retourna vers
le cortège. Raoul ne put discerner les traits de cette
ombre découpée dans la lumière éblouissante; mais lorsque le prêtre s'adressa à eux dans cette langue qui ressemblait de moins en moins à du latin, Raoul crut le reconnaître.

Le curé s'engagea dans la gueule du caveau, suivi
de son escorte, des porteurs et d'une courte femme en
pleurs. D'un coup de coude, Henri signifia à Raoul qu'il
devait suivre lui aussi.

À l'intérieur, les trois prêtres s'agenouillèrent au
pied d'une niche dans laquelle on faisait glisser le cer-
ceuil. La mère éplorée se mit à genoux à son tour et, à la
dureté du regard des porteurs, Raoul déduisit qu'il devait

faire de même. Le célébrant reprit son oppressante litanie qui sonnait de plus en plus comme une incantation en dialecte africain.

La même torpeur envahissait les membres de Raoul; il ne ferma les yeux qu'une fraction de seconde mais lorsqu'il les rouvrit, il se trouva seul avec l'écho du chant funèbre, au pied de la niche identifiée par une plaque de bronze :

KATHERINE JOSEPH-ALEXIS
Fille adorée
4 septembre 1958 — 3 mai 1983
"À jamais vivante dans notre souvenir"

Reculant instinctivement, un cri de terreur inarticulée roulé dans la gorge, Raoul se buta à quelqu'un derrière lui.

—Et mon bis, Raoul? s'indigna sa femme sur un ton mi taquin, mi grave. Tu n'allais pas sortir d'ici sans me donner mon bis, j'espère?

Raoul bondit vers l'escalier, vers la lourde porte tout en haut qui se refermait d'elle-même, lentement, sans grincer. Il tenta de la pousser, en vain, puis recula de deux ou trois marches et s'élança dans l'espoir de la défoncer.

Tirée de l'extérieur en un mouvement sec, la porte s'écarta de son chemin et il eut tout juste le temps de retenir son élan pour ne pas heurter Katherine. Un sac de plastique en main, elle le considéra d'un air intrigué tandis qu'il reprenait peu à peu conscience de l'appartement autour de lui.

— Tu ne revenais pas, alors je me suis dis que je ferais peut-être mieux d'aller chercher moi-même ma lotion, expliqua-t-elle sur un ton de reproche à peine voilé en traversant la chambre vers sa commode. Et puis, il fallait que j'aille à la pharmacie de toute manière...

Raoul secoua la tête pour en évacuer les dernières séquelles du rêve. «Tadam!» fit fièrement Katherine en tirant de son sac une ampoule de liquide bleu. Prenant le mutisme malaisé de son homme pour de l'incompréhension, elle prit la peine d'ajouter: «C'est maintenant officiel, sans doute pour le mois de décembre...»

Raoul ne répondit mot et lorsque Katherine lui demanda s'il n'avait pas entendu, s'il n'était pas heureux, le silence du tombeau monta en lui, le silence et ce même vertige nauséeux qu'il avait ressenti avant son cauchemar. Il n'eut pas le loisir de se tourner du côté de sa femme parce qu'à cet instant précis, son regard tomba sur ses chaussures couvertes de vase...

Henri lui tendit le rhum; il vida son verre d'une seule gorgée puis le remit à son ami pour une seconde tournée. Henri versa le reste de la bouteille dans le verre, avec une éphémère grimace de contrariété vite remplacée par l'expression conciliante que réclamait l'urgence de Raoul.

Celui-ci prit un moment pour retrouver son souffle, puis avala un peu de rhum avant d'oser sa question:

— Dis, Henri? Est-ce que tu crois aux zombis?

Henri déposa la bouteille de Barbancourt vide sur la table de salon puis leva vers son ami un regard perplexe.

— Tu sortais vraiment de chez *Papy Bòkò* cet après-midi, n'est-ce pas?

Raoul acquiesça avec gêne et réitéra sa question avec plus d'insistance. Henri alla fermer les rideaux à la nuit tombante, comme pour s'ssurer que personne dehors ne puisse les espionner. Il arpenta la pièce avant de reprendre la parole: «Mon grand-père maternel était un homme étrange. À Jacmel, un tas de rumeurs circulaient sur son compte; il avait, entre autres, la réputation d'être un *djab*.[1] On raconte qu'un jour qu'il marchait dans la plaine avec d'autres habitants, un essaim de lumières multicolores serait descendu du ciel vers lui. Alors que tous les autres se plaquaient contre le sol, redoutant une quelconque punition céleste, mon grand-père se serait élevé au milieu de la tempête lumineuse. À ce qu'on dit, il aurait ordonné aux couleurs de partir, de revenir une

---

[1] Créature maléfique, démon.

autre fois et celles-ci l'auraient redéposé gentiment au sol avant de s'estomper...»

Une interminable pause ponctua cette anecdote puis les deux hommes croisèrent leur regard.

— Tu ne m'as toujours pas répondu...?

Henri s'assit près de Raoul et posa sa main sur l'épaule de son compère.

— Écoute, en tant que nord-américain du vingtième siècle, je ne peux pas sérieusement prêter foi à ces contes pour bonnes femmes qui ont fait mes cauchemars de jeunesse...

— Mais..., enchaîna Raoul, souhaitant désespérément qu'il y ait un *mais*...

— Mais en tant qu'Haïtien, élevé au milieu de ces contes pour bonnes femmes, je suppose qu'une partie de moi croit encore aux *loas, djabs, lougarous* et autres mythes qui sont ma culture même... Avant d'être une source d'inspiration pour scénaristes d'Hollywood en quête de sensationnel, le vaudou est une religion avec son propre système de valeurs, ses propres mythes qui prennent leurs racines dans des réalités bien concrètes. Des recherches ont démontré que l'état de zombification était induit à l'aide de drogues extrêmement puissantes; rien de surnaturel, juste des drogues.

— La paix avec ce baratin pseudo-scientifique pour Blancs! Je te parle des vrais cadavres qui reviennent à la vie, des cris inhumains qui s'élèvent au-dessus des mornes les soirs de pleine lune gorgée de sang, de gens qui se métamorphosent en couleuvres ou en insectes à volonté! La magie noire, Henri; je te parle de la main gauche du vaudou!

À cet éclat de Raoul, Henri fronça les sourcils, bien conscient qu'une visite chez *Papy Bòkò* ne saurait à elle seule justifier un tel comportement. «Désolé, s'excusa timidement Raoul. J'aurais pas dû crier...»

— Mais qu'est-ce qui ne va pas, à la fin?

Raoul chercha au fond de son verre de rhum un regain de courage puis se décida enfin à confier à son ami les détails de ses cauchemars au sujet de son épouse et de son expérience avec l'élixir de *Papy Bòkò*. Une fois son récit achevé, il baissa les yeux honteusement, tel un gamin surpris à chaparder des douceurs en plein marché public.

Tel qu'il l'avait redouté (ou peut-être espéré), Henri le réprimanda vertement pour l'ingénuité qui l'avait conduit à acheter l'hallucinogène que lui avait vendu ce *pusher* déguisé en *houngan* et qui n'avait servi qu'à amplifier ses fantasmagories.

Au bout du compte, cette visite chez Henri avait réussi à convaincre Raoul du ridicule de ses angoisses; maintenant, il pouvait retourner chez lui et essayer de rapiécer ce qui restait de son mariage.

Il dut s'y prendre par trois fois avant de réussir à mettre un pied devant l'autre pour avancer vers la chambre.

Agitée par ses sanglots contenus, Katherine empaquetait ses vêtements dans une petite valise. Raoul ouvrit la bouche, mais ne parvint à articuler sa question idiote qu'au bout d'un moment.

Katherine se crispa, mais ne se détourna pas.

— Je m'en vais, qu'est-ce que tu crois? répondit-elle.

D'un pas incertain, il s'interposa dans le chemin de sa femme, mais elle le contourna et continua à vider ses tiroirs.

— Non, tu dois m'écouter avant...

— Et pour quelle raison, dis-moi? explosa-t-elle, à deux poils de la crise de nerfs. J'ai bien vu ton expression quand je t'ai annoncé que j'étais enceinte; on aurait dit que j'étais soudain devenue un monstre!

Ses mains s'agitaient autour de son visage dans un mouvement nerveux et insensé qui visait vraisemblablement à rattraper les éclats d'elle-même qui volaient en tous sens. «Je ne suis pas sûre de comprendre, ni de vouloir comprendre ce qui se passe ici depuis une semaine. Je pensais qu'on avait réussi à se construire quelque chose de solide, toi et moi...»

Le reste de ses paroles fut noyé par les sanglots. Instinctivement, Raoul la tira vers lui et la serra contre sa poitrine avant d'éclater en pleurs à son tour. Combien stupide il avait été de s'imaginer durant une seconde que cette femme vulnérable blottie au creux de ses bras eût pu être une créature de l'enfer?

Délicatement, il lui releva le menton, assécha les

larmes qui roulaient sur ses joues et, au moment où les mots perdirent tout pouvoir de consolation, les baisers prirent la relève.

Doucement, tout doucement, il l'étendit sur le lit et ils se dévêtirent l'un l'autre, sans cesser de se caresser, avec une aisance et une grâce qui étaient celles des amants de longue date. Et tandis que la langue de Katherine prenait férocement possession de sa bouche, Raoul palpa la chair tendre et bien vivante de ces seins qui s'érigeaient de défi, massa ces fesses bien rondes et bien dodues, et trouva assez rapidement le chemin de son pubis, chaud et humide. Les doigts de Katherine inscrivirent des poèmes sensuels sur le dos et la poitrine de son homme avant de se refermer autour de son sexe gonflé de désir pour le guider vers le sien.

Il la pénétra sans violence, comme par magie, et imprima à son va-et-vient un rythme contagieux, ponctué d'halètements et de baisers, un rythme qui leur appartenait exclusivement. Et lorsqu'il jouit en elle, il connut un calme céleste qui échappait à la description, un éclair de bonheur tout beau, tout paisible qui ressemblait à une petite mort douce, une petite—

...mort?

Il rouvrit brusquement les paupières et son regard rencontra les deux yeux jaunâtres et exhorbités qui éclairaient le visage désséché de Katherine. Sa peau lisse avait pris l'aspect d'un cuir sale et froissé; son teint chocolaté tirait maintenant sur l'olivâtre; elle ressemblait à ces ombres d'enfants affamés qui hantent les petits écrans nord-américains après minuit. «*Ban mwen yon ti-bo, dé ti-bo, twa ti-bo, doudou,* [1]» répétait-elle amoureusement, comme le refrain de la chanson, en gémissant de plaisir.

Il tenta de se dégager, mais les jambes squelettiques nouées autour de ses reins l'enserraient comme un étau. «*Ban mwen yon ti-bo, dé ti-bo, twa ti-bo, doudou*», geignait-elle, encore et encore, en approchant dangereusement ses lèvres putrescentes de celles de Raoul.

Terrorisé, il tendit frénétiquement la main vers la lampe de chevet, la souleva par la base et l'abattit violemment sur le visage cadavérique. Le crâne de Katherine éclata avec un léger clapotis de cantaloupe pourrie, éclaboussant la tête du lit d'une glaire nauséabonde. «*Ban mwen yon ti-bo, dé ti-bo, twa ti-bo...*» résonnait encore la voix passionnée dans l'esprit de Raoul.

De peine et de misère, il s'arracha du creux des jambes désarticulées de son amante et s'avisa avec répugnance des lambeaux de chair putréfiée emmêlés dans les poils de son pubis. Durant un micro-instant, il se représenta l'image de l'enfant, *son* enfant, suffocant dans le sein de cette charogne.

Le goût du rhum remonta en lui et il se précipita vers la salle de bains.

Henri avait à peine pointé le doigt vers la sonnette

---

[1] «Donne-moi un baiser, deux baisers, trois baisers, chéri...» — Refrain d'une chanson folklorique haïtienne d'où l'Auteur a d'ailleurs tiré son titre.

que Raoul le tira brusquement à l'intérieur. Malgré la patience déconcertante dont il avait jusqu'ici fait preuve, il renonça assez rapidement à décrypter le discours désarticulé de son compère et se dirigea vers la chambre à coucher pour en avoir le cœur net.

Toujours sous l'état de choc, Raoul préféra ne pas l'y suivre et l'attendit nerveusement dans la cuisine. Dès qu'Henri ressortit de la chambre, Raoul reconnut cependant sur le visage de ce-dernier cette expression qu'il craignait. Un frisson lui électrisa la colonne vertébrale et il réalisa qu'il était encore nu comme un ver.

— Je te jure que j'ai pas rêvé...

Une lueur de pitié plana sur les traits d'Henri.

— Un moment, j'avais presque réussi à me convaincre que tu plaisantais seulement, mais tu crois vraiment à cette histoire...

— Je l'ai tuée tout à l'heure, Henri! Je l'ai tuée de mes mains, que je te dis!

— Écoute, Raoul: tu as toujours été pour moi un ami très cher et c'est pourquoi je t'ai prêté une oreille attentive quand tu as fais irruption chez moi ce soir; pourquoi j'ai traversé la ville en plein milieu de la nuit pour répondre à ton appel à l'aide. Mais je sors à l'instant de ta chambre où je n'ai vu aucune trace de cadavre, ni de lutte, ni de quoi que ce soit...

— C'est impossible, je n'ai pas rêvé...

— Rien que Katherine qui dort comme un loir, Raoul; rien d'autre, renchérit Henri en saisissant son ami par les épaules.

— Non, c'est impossible! protesta Raoul en se dégageant de la prise d'Henri, puis il tomba à genoux, sanglottant.

Henri s'accroupit à ses côtés.

— Une de mes bonnes amies vient d'ouvrir un cabinet dans le centre-ville; peut-être pourrais-je t'avoir un rendez-v—

— Sors d'ici, Henri, grogna-t-il.

— Raoul, il te faut réaliser que tu as besoin d'aide...

— SORS D'ICI, J'AI DIT! hurla-t-il assez fort pour réveiller tout le voisinage.

Henri acquiesça avec un soupir et disparut bientôt, refermant doucement la porte derrière lui.

Honteusement, Raoul reniffla, assécha ses larmes et se releva, s'évertuant à se faire à l'idée qu'il avait tout imaginé. La drogue, oui! Inexplicablement, il savait (ou le souhaitait-il?) que c'était l'élixir de *Papy Bòkò* qui, nourri à même ses lubies, lui avait suggéré ces hallucinations.

Rempli de cette conviction, il se résigna à passer le seuil de sa chambre à coucher, tête haute, et tâta le mur à la recherche du commutateur.

La lumière blafarde trancha l'obscurité sépulcrale de la chambre. En un rien de temps, son regard fit le tour de cette pièce exactement fidèle à la description d'Henri. Un moment, il demeura hébété dans l'encadrement, jusqu'à ce que Katherine, à demi-somnolente, lui demande d'éteindre.

Sans comprendre, Raoul obéit puis prit place à côté de sa femme, bien que la terreur qu'elle lui inspirait encore, malgré lui, le confina à la toute extrémité de leur lit double.

Katherine roula vers lui en ronronnant comme une chatte.

— Et mon bis, Raoul? s'enquit-elle alors, sur un ton mi taquin, mi grave, en présentant sa bouche avide d'où pointait une langue spongieuse à demi-rongée par des vers blancs.

Montréal, août 1987.

Nando Michaud

Psyraterie en mer des orgasmes

Nando Michaud

Bien connu des milieux de cultures de la Capitale (coryza, staphylocoque, tréponème et autres tire-bouchons insidieux), Nando Michaud est un homme-orchestre symphonique dirigé à distance à partir du Quartier Général des Forces Conjecturales. Des mathématiques à la littérature, en passant par l'histoire de l'art, l'informatique, la peinture et l'anthropologie, tout l'intéresse et le lasse à la fois; il chemine dans la vie comme une particule brownienne désabusée et heureuse, pessimiste et confiante. À preuve, sa devise: *Tout mène à rien à condition d'en sortir.* La nouvelle qui suit, flirtant aussi bien avec le *space opera* le plus *cheap* qu'avec la spéculation philosophique la plus hardie, illustre de façon élégante cette pensée fin-de-siècle.

Se définissant lui-même comme obsédé sexuel léger, il croit que le Cul a commencé à mener le monde avant d'avoir appris à conduire...

Publications dans :

Bambou # 5, 7
L'écrit primal # 1, 2, 3, 4
La Gagazette # 1, 2, 3, 4
La Tournée (quinze numéros)
XYZ #6

À paraître bientôt:

Les montres sont molles mais les temps sont durs (roman)
Il faut prendre les messies pour des gens ternes (nouvelles)
Le manifeste du sous-réalisme (essai)

Psyraterie en mer des orgasmes

(Prolégomènes à une casuistique sexuelle future)

Je n'ai pas réellement assisté à ce que je vais relater ici. Classé par la Médecine «objet de curiosité mentale ne présentant aucun danger», j'abrite en moi deux personnalités bien distinctes qui ont l'intelligence de vivre en harmonie malgré le peu d'espace cérébral dont elles disposent. Mon entourage, croyant ainsi me tourner en ridicule, me surnomme la Tête à Deux Jaunes. Pourtant, cette particularité psycho-morphe — quoi qu'en dise la Faculté — me confère une nette supériorité sur les gens normaux puisqu'elle me permet de mener deux activités de front, de vivre doublement en somme. Par exemple, je peux faire l'amour avec la fougue et l'émotion qui conviennent tout en résolvant une équation différentielle du deuxième ordre à coefficients constants. Bref, je réussis à

241

être, à moi seul(s?)*, une sorte de jumeaux siamois dont les corps seraient parfaitement et intimement confondus. Des* schiamois, *si l'on veut...*

Évidemment, on peut se demander — et avec raison — quel ntérêt il y a à s'intéresser aux mathématiques en faisant l'amour... Aussi, heureusement, cette configuration binaire présente d'autres avantages. Elle prédispose notamment à l'écriture : vivant en double, mon existence a déjà la forme exacte de la fiction romanesque. Je n'ai qu'à me promener de par le monde, une partie de moi-même se laissant porter au gré des hasards, pendant que l'autre observe et prend des notes.

Malheureusement, on ne choisit pas toujours son histoire... C'est ainsi qu'à la suite de circonstances décrites ci-après, aujourd'hui 15 mai 1972, je me suis fait voler un de mes ego par une curieuse bande de Psyrates qui opèrent à partir du futur. En vertu d'une mystérieuse disposition psychique propre à la littérature, il subsiste cependant entre moi et mon alter-ego une communication à sens unique : je ressens tout ce qu'il ressent, mais non l'inverse. C'est un peu comme si j'assistais à un film à effet omni-sensoriel sans pouvoir d'aucune façon intervenir dans l'action.

Voici donc l'incroyable aventure qu'a dû vivre ma douce moitié.

1

Ce n'est pas possible! Pourtant l'impossible prend forme, là, devant moi, dans toute son insondable béance : j'appréhende la réalité par son côté nocturne, comme si, progressivement, chacune des choses qui la constituent devenait son envers aussi bien dans son aspect physique que dans sa durée.

Quelques instants plus tôt, j'étais entré sans me méfier dans un restaurant *MacDonald* pour me *hamburgueriser* la plomberie. J'avais tout de suite perçu quelque chose d'inhabituel, comme une présence, invisible et menaçante. Le décor — qui la seconde précédente se montrait aussi rassurant de banalité que tous ses semblables de par le monde — commençait à vivre au sens où vivre signifie être en mouvement. Les panneaux-réclame qui énumèrent, illustrations à l'appui, chacune des permutations plus ou moins alimentaires réalisables à partir des éléments bœuf haché, pain, fromage, ketchup, moutarde, relish, mayonnaise, et autres vagues sauces assassines, se transformaient, comme s'ils se gondolaient dans la quatrième dimension. Des moments passés et futurs de leur vie de panneaux-réclame miroitaient fugitivement sur ces bosses temporelles. L'ameublement s'agitait nerveusement en ruminant des imprécations imprécises qui rappelaient la plainte placide du plastique ouvré entendue sur un magnétophone qui tournerait à reculons. Quant aux hamburgers qui attendaient sous des lampes à infra-rouge qu'un quidam — peu soucieux de sa santé et dépourvu de respect pour ses papilles gustatives — veuille bien se les procurer, le bon goût m'empêche de décrire leur trans-mutation : cela n'évoquerait que fétidités susceptibles de couper l'appétit le plus solide, le verso de la putréfaction n'étant guère plus ragoûtant que son recto.

J'en suis là de mon étonnement lorsque, tout à coup, j'ai l'impression de traverser la Perspective Historique, comme si j'étais irrésistiblement aspiré vers l'ultime point de fuite du Temps. Après un pénible moment d'incer-taines transmigrations, j'ai la certitude d'être ailleurs — et *dans* la tête de quelqu'un d'autre, de surcroît.

Par les yeux de ce «quelqu'un d'autre» je réalise que j'ai été transporté dans un curieux centre-ville à l'heure de pointe. Il y règne un silence inexplicable. Des gens pressés vont, jetant à la ronde des coups d'œil furtifs et inquiets. Ils sont tous engoncés dans des vêtements gris et amples qui ne laissent deviner aucun des détails anato-miques propres aux quatre ou cinq sexes qui gueusaillent sur la planète.

Chacun de ces spectres affairés et perplexes est coiffé d'un serre-tête de métal qui ressemble au *walkman* commun. Cependant le bidule en question ne comporte pas d'écouteurs, mais pénètre directement dans le crâne, juste au-dessus des oreilles. Un feu rouge, de même forme que ceux que l'on retrouve sur la toiture des voitures de police, mais en beaucoup plus petit, se dresse, bien en vue, au sommet de ce demi-cercle énigmatique.

De prime abord, ces minuscules feux giratoires paraissent tous éteints. Mais, au fur et à mesure que le soleil disparaît derrière la forêt de gratte-ciels gris, on aperçoit çà et là parmi la foule des lueurs fugaces qui vacillent telles de timides lucioles. Curieusement, ces signaux lumineux à peine perceptibles semblent précipiter les porteurs (porteuses?) dans la confusion la plus totale.

Mon hôte déambule sans but — c'est du moins ce qu'il me semble — en se confondant autant que possible à cette masse morne et silencieuse. Il est conscient de ma présence dans sa tête, mais ne semble pas s'en étonner. Il ne cherche pas non plus à entrer en communication avec moi. Je veux l'interroger sur l'utilité de ces avertisseurs visuels, lorsqu'à un carrefour, mes yeux d'emprunt plongent dans ceux d'une personne qui passe et s'y attardent un bref instant.. Magré ses vêtements, je sais, je *sens,* que c'est une femme. L'intéressée soutient ostensiblement ce regard. Des reflets remplis de «peut-être» dansent sur ses pupilles insistantes. Mon hôte hésite à pousser son avantage. Je le houspille un peu, je ne suis pas du genre à laisser filer une telle occasion; il finit par sourire. De fil en aiguille, une émotion de type vénérien se met à faire la navette entre les deux hypothalamus, transportant de part et d'autre un message sans équivoque. En même temps, leurs feux respectifs se mettent à tournoyer follement en clignotant avec une intensité étonnante.

Une désapprobation, d'abord muette, monte de la foule qui s'agglutine imperceptiblement autour de *nous,* tandis qu'à proximité une sirène se met à hurler, déchirant, de sa plainte formidable et sauvage, ce curieux silence urbain! Encouragée, dirait-on, la foule se fait cohue et *nous* presse davantage. Une rumeur qui rumine du lynchage s'enfle jusqu'à la vocifération...

La panique s'empare des deux délinquants. Sans autrement se consulter ils s'empoignent vivement par la main, foncent dans ce tas qui s'agite, y ouvrent une brèche en jouant vigoureusement des poings, des coudes et des genoux. Des boutons sautent, des lunettes volent en éclat, des dentiers craquent. Finalement *nous nous* arrachons à cette mêlée et *nous nous* sauvons en courant dans une ruelle sombre... Au moment où *nous* disparaissons dans une entrée cochère, j'aperçois une voiture de flics qui tourne le coin sur les chapeaux de roues : on *nous* prend manifestement en chasse.

De plus en plus affolés, *nous* détalons comme des lapins à travers une arrière-cour encombrée de diverses machineries démantibulées.

Que signifie tout cela?...

2

Les deux fugitifs cherchent désespérément une issue dans cette arrière-cour fermée sur trois côtés par une palissade visiblement infranchissable. Je me désintéresse de leur sort. D'ailleurs, que pourrais-je faire pour eux? Je m'applique plutôt à scruter les souvenirs enfouis tout au fond de cette tête où l'on me retient prisonnier. Ciel! la drôle de poutine idéologique résiduelle que je découvre en dépit des idées de panique nouvellement formées qui font écran.... Il se brasse, aux détours des neurones de ce pauvre type, un furieux maelström d'interdits et de croyances, de désirs et de frustrations, de vérités et de mensonges que, de prime abord, je n'arrive pas à démêler. Malgré la réticence initiale de mon hôte, à force de sollicitation, sa mémoire consent à me fournir quelques éclaircissements. Voyez plutôt ce qu'elle dit:

— À la fin du XXe siècle, à la suite d'une grave crise économique, une vague — que dis-je, un raz-de-marée! — de puritanisme a balayé la terre. Et depuis ces temps lointains, les Chrétiens fondamentalistes contrôlent les trois Amériques, l'Australie et l'ouest de l'Europe; les Musulmans intégristes régissent l'Afrique, tout le sud de l'Asie et l'Indonésie; tandis qu'une variété de Marxistes, qui se réclament de la plus pure orthodoxie sans préciser davantage de quoi il s'agit, dominent l'est de l'Europe et tout le nord de l'Asie.

— Les débats au Conseil de Sécurité à l'ONU ne doivent pas être tristes!

— Les couteaux volent bas, en effet! Mais bien qu'en désaccord complet sur tous les autres sujets, ces trois idéologies s'entendent cependant comme cochon sur un point : elles refusent le plaisir dans toutes ses manifestations sauf, bien entendu, lorsqu'il se présente sous la forme ambiguë du masochisme. Et non seulement le refusent-ils pour eux, mais depuis qu'ils sont au pouvoir, les classes dirigeantes de ces trois blocs politico-religieux se sont appliquées avec la dernière énergie à imposer à tous et à toutes leur conception ascétique de l'existence. Ils ont tout fait en somme pour rendre ce comportement «naturel»; comme s'il était dans la nature profonde de la Nature humaine d'exécrer le plaisir, ou du moins de le fuir.

— Mais comment ont-ils pu faire passer une telle idée? Comment peut-on dénigrer une chose aussi saine que la recherche de l'assouvissement des sens, sans lequel il n'est pas de béatitude spirituelle possible? Même sainte Thérèse d'Avila — mystique parmi les mystiques! — a dû passer par l'extase physique avant de parvenir à l'exaltation de l'âme. Il suffit de jeter un coup d'œil à la célèbre sculpture du Bernin qui nous la montre en pleine trans-verbération pour réaliser que le Seigneur est sûrement entré en elle en suivant les voies naturelles! Non, vraiment, je ne conçois pas comment on a pu accomplir une chose aussi contraire aux pulsions fondamentales de l'humain...

— En procédant comme à l'habitude. Au lieu d'attaquer le plaisir lui-même de plein front, ils lui prêtè-rent plutôt des effets néfastes. Pour ce faire, la faction occidentale commença par prétendre que la dépravation des mœurs qu'avait connue la deuxième moitié de votre immonde XXe siècle était responsable de la chute de pro-ductivité qui avait alors mis l'économie en grand péril d'effondrement. Ils répétaient à satiété que tout allait mal parce que la poursuite effrénée de la jouissance avait détourné les populations des Vraies Valeurs Éternelles qui avaient fait la grandeur du Monde Libre : Travail, Famille, Patrie!

— Je connais la chanson; on nous la serinait déjà pas mal à mon époque! Mais cela me semble un peu vague comme accusation. À quels plaisirs s'attaquaient-ils donc?

— Quand on s'en prend aux plaisirs, bien entendu on vise d'abord le plus répugnant de tous : le plaisir sexuel. Ainsi, en Occident, des campagnes de propagande avaient été montées pour déprécier l'érotisme en le présentant comme une tare abominable qui exerçait ses ravages particulièrement parmi les races inférieures (i.e. bronzées). La télé ne cessait de diffuser des vidéo-clips (de qualité technique exceptionnelle) dans lesquels les vedettes du *show-biz* de l'heure démontraient *scientifiquement* que, chez les Blancs, l'activité copulatoire rendait sourd, donnait de l'acné, faisait pousser des poils dans les mains et bien d'autres évidences du même bois. Parallèlement à cela, d'autres vidéo-clips (d'un sirupeux beau-chic-beau-genre, ceux-là) louaient les vertus de la continence en affirmant que la sublimation a *bien meilleur* goût, ou encore que la chasteté *c'est franchement meilleur*... enfin, des choses comme ça.

— Fit-on de même, ailleurs?

— Dans les deux autres empires, on se contenta de

prétendre que cette déviation était typiquement occidentale et qu'en conséquence, on devait lui livrer un combat
sans merci. Les Musulmans intégristes parlaient d'ou-
trages à Allah, le Seul-Vrai-Dieu et appelaient les fidèles à
la Guerre Sainte; tandis que les Marxistes orthodoxes
agitaient le spectre de la décadence bourgeoise, cette
vipère lubrique qui s'insinue dans le cœur de la Jeunesse
Révolutionnaire afin de la détourner de son rôle historique, et, par voie de centralisme démocratique, prati-
quaient des purges régionales qui devaient rendre la santé
au corps social.

— Je sais bien que déjà à mon époque plusieurs des
conclusions du père(!) Freud avaient été remises en question, mais personne n'avait encore contesté, que je sache,
son postulat de la primauté de la pulsion sexuelle. Ainsi,
ai-je peine à croire que cette propagande anti-sexe ait pu
réellement fonctionner!

— Vous avez raison... et vous avez tort! Vous avez
raison parce que, malgré l'ampleur des moyens mis en
œuvre dans les trois camps (battages publicitaires conçus
selon les dernières trouvailles de la psychologie de
masse), les résultats avaient été assez mitigés... Partout,
sous toutes les latitudes, seul(e)s ou avec d'autres, en couple ou en groupe, on n'en avait pas moins continué à
forniquer en cadence, à l'unisson ou à contre-temps.

— Je me disais, aussi! Mais en quoi ai-je tort,
alors?

— Vous avez tort parce que vous ne semblez pas

concevoir que le puritanisme est une forme pathologique d'obsession sexuelle qui s'exprime en tentant de se nier, qui trouve dans sa propre répression l'objet même de son épanouissement. Tous les actes du sujet atteint par cette terrible maladie sont conditionnés par sa monomanie : détruire chez les autres, par tous les moyens, la bête de désir qui s'agite en lui.

— Vous voulez dire que le puritanisme est lui aussi de nature sexuelle, ce qui confirme encore le postulat de Freud?

— Voilà. Et comme tout ce qui est mu par une motivation sexuelle, le puritanisme ne désempare jamais. Ainsi, loin de se laisser abattre par cet échec momentané, les stratèges du régime ont plutôt mis l'énergie de leur frustration libidineuse au service de l'humanité en concevant un plan d'action d'un diabolisme à faire pâlir de jalousie Herr Gœbbels lui-même...

La communication est brutalement interrompue. Toutes les activités cérébrales de mon hôte se voient soudainement monopolisées par l'instant présent, de telle sorte que sa mémoire est refoulée au sous-sol; une barrière mentale me la rend inaccessible. L'heure n'est plus aux confidences. *Nous* venons en effet d'entendre claquer des portières et aboyer des chiens, tandis que des projecteurs à main balayent nerveusement l'entrée de l'arrière-cour. *Nous* avons les flics au cul. Et *nous* pataugeons dans un désespérant cul-de-sac! Voilà ce qu'un petit plaisantin pourrait appeler avoir le sens de l'à-propos...!

Mon hôte et sa compagne sont à bout de souffle et ne savent plus où se fourrer. Ils se sont jetés de leur propre chef dans une souricière, à ce qu'il paraît.

Dans la cour, gisent plusieurs carcasses de vieilles voitures qui attendent patiemment de retourner à leur état originel d'oxyde de fer. Les deux fugitifs vont fébrilement de l'une à l'autre, comme s'ils cherchaient un abri où se planquer. Espèrent-ils vraiment pouvoir tromper l'odorat des chiens-flics en se cachant dans l'un de ces tas de ferraille? Pas évident, leur truc...

La meute approche. Le couple va devoir faire quelque chose avant la semaine prochaine.

En découvrant une vieille Chevrolet des années héroïques, la femme pousse un soupir de soulagement... comme si elle venait de trouver une solution... Ils montent vivement dans cette *minoune* délabrée...

— Boucle ta ceinture de sécurité, ordonne-t-elle.

Qu'est-ce qu'elle croit? Pense-t-elle pouvoir prendre la fuite avec cette vieille caisse en décomposition? Les portières ne ferment même pas et les pneus sont à plat... Sans compter que les flics bloquent la sortie...

La femme fouille sous le tableau de bord et s'empare de deux bouts de fils qui pendent...

Nos poursuivants viennent de déboucher dans la cour. En *nous* apercevant, ils libèrent leurs chiens. Les bêtes enragées n'attendaient que cela pour charger, tous crocs dehors, l'écume aux mandibules. L'avenir immédiat des deux complices va, de toute évidence, se vivre sous le signe poisseux de l'hémoglobine...

La femme relie les fils l'un à l'autre. Une étincelle jaillit et en même temps la vieille Chevrolet se sépare en deux, comme si elle explosait. Pris de court, les chiens des premières lignes ne peuvent freiner leur élan et viennent se fracasser la margoulette contre les pièces de carrosserie qui volent vers eux. Un drôle de petit véhicule tout rutilant sort alors de ce cocon de métal rouillé pendant qu'une coupole de verre se referme sur *nous*... Des vibrations se font sentir... un moteur démarre... et *nous* disparaissons dans le ciel d'encre.

Devant ce spectacle, les chiens des dernières lignes — bipèdes, ceux-là — restent bouche bée...

3

L'accélération brutale me fit perdre pour un moment le contact avec la réalité. En revenant à moi — enfin, à *lui* serait plus juste — je réalise que *nous* flottons dans l'apesanteur. J'en déduis que nous devons être en orbite quelque part autour de la Terre. Il semble que *nous* ayons semé les flics. Mon hôte m'informe que *nous* *nous* dirigeons vers la Lune. Il refuse cependant de me révéler le but de ce voyage. Je profite néanmoins du temps mort pour continuer mon enquête intra-neuronique.

— Suite à l'échec de leur campagne de dénigrement du sexe, les stratèges de la puritanocratie occidentale firent leur autocritique, poursuit-il. Ils arrivèrent à la conclusion que l'argument sur lequel ils avaient établi leur propagande (la baisse de la productivité au travail) était par trop abstrait pour faire peur au gens du commun. Il fallait trouver quelque chose de plus immédiatement tangible, quelque chose qui frapperait l'imagination populaire de façon plus terrifiante... je ne sais pas comment dire... quelque chose de plus impliquant...

— Quelque chose qui interpelle l'individu directement, quelque chose de plus *personnel,* en somme?

— C'est ça! Exactement! Tout de suite après, ils se dirent que la noblesse de la cause qu'ils défendaient méritait bien qu'on lui sacrifie quelques citoyens parmi les plus dépravés. Ils mirent donc des scientifiques parfaitement impartiaux et apolitiques — comme le sont tous les scientifiques, d'ailleurs! — sur le problème. On leur demanda de répondre à cette simple question : «sans se soucier de la rigueur et de la forme des moyens employés, comment peut-on convaincre les gens de ne plus faire l'amour autrement que dans un but procréateur?»

— Jadis, la seule menace de l'enfer suffisait...

— Je sais, mais le monde a changé et les géhennes éternelles font moins recettes qu'à d'autres époques. Ceci parce qu'une société qui se maintient en place en *divinisant* la technologie ne peut se perpétuer qu'en inventant ses propres diables technologiques pour assurer l'équilibre. Si le Moyen Age, par exemple, comptait sur l'aide du bon ange ailé et blond, il redoutait en même temps son contraire, le noir démon cornu propulsé par des ailes de chauve-souris. Et sans cette opposition bon ange/mauvais diable la féodalité n'aurait jamais pu être ce qu'elle a été. En somme, le Bien ne se révèle — au sens photographique du terme —, n'existe que sur fond de Mal. De la même manière, votre XXe siècle se félicitait d'avoir découvert l'atome tout en craignant la Bombe comme la peste. Technocrates, les scientifiques consultés abordèrent donc le problème selon leur propre conception du monde, c'est-à-dire dans la perspective d'y trouver une solution technologique.

— Une solution technologique au sexe? Problème de taille, s'il en fut!

— Comme vous dites! Mais les scientifiques, quand il s'agit de faire avancer la Science, ne ménagent pas les efforts et font preuve d'une certaine imagination... Ils s'attelèrent donc à la tâche avec entrain. Lors d'une séance de remue-méninge particulièrement féconde, l'un d'eux émit l'opinion qu'il fallait, selon les données même du problème, procéder par étapes en cherchant tout d'abord à éliminer les relations les plus stériles, c'est-à-dire les relations homosexuelles. On verrait après pour les autres. Le consensus se fit autour de cette façon *étapiste* de procéder.

— Je commence à deviner où vous voulez en venir...

— Non seulement les scientifiques ont de l'imagination, mais ils ont aussi de la suite dans les idées. Ainsi, «relation stérile» leur suggéra aussitôt «septicémie». C'est donc sur cette base qu'ils travaillèrent au développement d'un nouveau virus qui devait se transmettre *uniquement* par la sodomie de mâle à mâle. Une fois au point, ils lâchèrent ce virus dans la communauté gaie de San-Fransisco en se félicitant de leur trouvaille. Ils étaient persuadés que cette partie du problème allait se résoudre d'elle-même dans quelques années tout au plus...

Tiens, la communication est encore interrompue. Le cerveau de mon hôte vient d'être re-monopolisé. Mais, cette fois, ce n'est pas un danger quelconque qui réclame toute son attention. Bien au contraire! Les banquettes du véhicule s'inclinent et les deux amoureux amorcent un décarpillage aussi lascif que le permettent leurs étranges accoutrements... et leurs humeurs.

Ils s'activent avec beaucoup de sincérité mais, en dépit de cela, ils restent mornes et n'ont pas tellement l'air de s'amuser. Ils veulent sans doute simplement tuer l'ennui mortel qui accompagne toujours les voyages dans l'apesanteur. C'est fou ce que ça peut devenir monotone d'uniformité quand on ne peut même plus faire la différence entre l'horizontale et la verticale.

Jusqu'ici, sauf pendant cette fraction de seconde où j'ai dû le houspiller un peu, mon hôte a agi indépendamment de moi. C'est lui qui prend toutes les décisions et s'occupe de régler l'ensemble des sécrétions glandulaires qui assurent le fonctionnement harmonieux des différents organes qui composent la machine humaine. J'assiste en spectateur à ce qui se déroule devant ses yeux en me demandant ce que je peux bien fabriquer dans la tête de ce type. Qu'attend-il de moi, au juste? Aurais-je affaire à un exhibitionniste nouveau genre qui a besoin d'un double qui l'observe de l'intérieur même de sa tête pour arriver à quelque résultat? Curieux phantasme!

Je les regarde se frotter l'un contre l'autre et il me semble que leurs caresses sont par trop mécaniques, sans émotion. La flamme apparaît bien faible... Enfin, après soixante-sept minutes passées à essayer et à ré-essayer les différents hors-d'œuvre pré-copulatoires (qu'aurait pu suggérer un sexologue moyen muni d'une imagination moyenne), leurs respirations deviennent un tant soit peu haletantes. Ils semblent avoir atteint un certain plateau, mais on dirait qu'ils n'arrivent pas à le dépasser; leur excitation piétine. Tout laisse croire qu'ils vont bientôt décrocher... Mais non, juste avant de laisser tomber, mon hôte m'enjoint de prendre les cérébro-commandes tandis que son propre ego se met en retrait dans quelque zone obscure de sa psyché profonde.

Cette fille me fait un effet bœuf que je (re)connais bien! Je me mets aussitôt en devoir de déverser un peu d'adrénaline par-ci, de testostérone par-là, de commander une augmentation de la pression sanguine dans certaines régions, de resserrer les vaisseaux dans d'autres, de hausser la glycémie d'un cran, de suspendre temporairement la fonction rationnelle, etc, etc, tant et si bien que *mon* sexe se dresse et que je me retrouve à la tête d'un corps envahi par une irrésistible envie de s'accoupler. Eh bien! puisqu'il en est ainsi et qu'il y a justement de la main-d'œuvre disponible à proximité, allons-y donc! D'autant plus que la fille s'est éveillée à la chair elle aussi... Elle commence à réagir avec une conviction qui vient stimuler la mienne et réciproquement... Le désir appelle le désir, car la jouissance est un miroir...

Il s'ensuit donc une partie de jambes en l'air tellement intense que l'énergie qui s'échappe de nos corps au moment de l'explosion du plaisir provoque, comme le prévoit la théorie de la Relativité générale, une distorsion du continuum spatio-temporel, distorsion qui se répercute dans l'Univers et qui fera, quelques siècles plus tard, frissonner la fourrure de la Grande Ourse et onduler la Chevelure de Bérénice; c'est tout juste si Pégase ne prendra pas le mors aux dents pour faire le compte. À tout événement, mon premier coït extra-terrestre me donne l'occasion de réaliser que l'amour sans gravité permet certaines fantaisies qui ne sont pas dépourvues d'intérêt... Je dois aussi avouer que l'absence d'horizontalité a momentanément cessé d'être pour *moi* une source de monotonie...

Pendant les ébats, l'ego de mon hôte remonta timidement des profondeurs du subconscient. Je me poussai un peu pour lui faire de la place en essayant de lui faire comprendre qu'une extase de cette ampleur pouvait se partager sans que quiconque fût de quelque manière frustré de sa juste part. La moitié de l'infini, ça demeure toujours et encore l'infini! Mais, malgré la sincérité de mon offre, il n'osa pas participer. Il semblait plutôt intéressé par la procédure elle-même. J'avais l'impression qu'il prenait en note les différentes configurations neuroniques qui *me* permettaient de *m*'envoyer en l'air avec autant d'aise et de spontanéité. Curieuse attitude de la part d'un type par ailleurs pourvu d'une aussi vaste culture et d'un aussi vif esprit d'analyse…

Nous sommes allongés côte à côte, flottant dans le vide, savourant béatement la délicieuse torpeur qui succède à la tempête orgasmique. Mes yeux d'emprunt contemplent la voûte céleste qui scintille comme je ne l'ai jamais vu scintiller auparavant; je suis persuadé de communiquer avec le surnaturel. Je m'apprête à demander à mon hôte pourquoi il a eu besoin de ma participation pour que son corps parvienne à la jouissance, lorsque *notre* vaisseau est violemment secoué par une explosion.

— Les flics! Ils nous tirent dessus! hurle-t-il, terrifié.

Un obus vient de sauter à quelques mètres de notre frêle astronef. Heureusement, il n'y pas d'ondes de choc possibles dans le vide sidéral. Derrière nous, à une centaine de kilomètres tout au plus, un immense véhicule spatial à l'allure martiale fait feu de tout bois dans notre direction. Cent kilomètres, cela peut sembler confortable comme distance, mais quiconque fera le calcul, changera tout de suite d'avis. Puisque nous voyageons à vingt mille kilomètres/heure, nous disposons d'une avance d'environ dix-huit secondes. On va pas pouvoir prendre le temps de s'arrêter pour pisser...!

— J'ai un peu bricolé cet Évadeur, dit la fille. Avec ce que j'ai installé sous le capot, on devrait pouvoir les semer facilement. Laisse-moi faire!

Aussitôt dit, elle enfonce un bouton et appuie sur le champignon en amorçant un impossible virage sur la gauche. Je dis impossible parce que le virage ne se fait pas selon une courbe parabolique, ainsi que l'exigent les lois de la mécanique, mais «en angle», comme une ligne brisée. Elle répète la même chose en tous sens. Curieusement nous ne sentons pas les effets de ces virages, comme si la force centrifuge avait été soudainement déclarée anti-constitutionnelle.

— La science-fiction nous avait habitués à l'anti-G, eh bien! maintenant nous disposons de l'*anertie*, dit-elle en s'amusant follement.

Elle enfonce un autre bouton. Le véhicule devint littéralement fou.

— Je viens de passer les commandes à un générateur de fonctions aléatoires. À partir de maintenant, nous nous déplaçons exactement comme une particule brownienne. De cette façon, les ordinateurs qui contrôlent le tir des flics ne peuvent pas déduire l'endroit où nous serons l'instant d'après, puisque nous suivons une trajectoire parfaitement imprévisible, sans cohérence ni patterns récurrents décelables.

Pendant que la maréchaussée continue à nous tirer dessus, je me dis lugubrement que les temps ont bien changé. L'agression de la foule d'abord, la poursuite des flics ensuite, puis cette attaque sans semonce dans le but évident de nous éliminer, tout ça pour un délit qui n'en est pas un — *dans l'absolu!* — montre bien que la Révolution sexuelle qu'a connu mon époque est encore une autre de ces révolutions qui a sombré corps et biens dans sa propre antithèse. Rien ne serait-il donc jamais acquis? Tout serait-il toujours à recommencer? Serait-ce cela le fameux mouvement dialectique de l'Histoire?

Nous fonçons maintenant à toute vitesse vers la surface de la lune. Nous allons sûrement nous y écraser. Je commence à blêmir mentalement. Plus qu'un kilomètre ou deux. Ça va y être... Non! au dernier moment la femme reprend les commandes et *nous nous* engageons en ralentissant à peine dans un cratère que j'espère profond. Il y règne une noirceur absolue, la lumière rasante du soleil n'y pénétrant pas... Puisqu'il n'y a pas d'atmosphère, il n'y a pas de pénombre possible sur Selênê. J'essaie vainement de me rappeler mes prières... Tiens, une lumière clignote un bref instant en avant sur la gauche. Notre véhicule tourne à angle droit et stoppe net juste avant de percuter la paroi rocheuse. Une porte s'ouvre sur un tunnel. Avant d'y entrer, la pilote actionne une manette en disant:

— On va pondre un petit œuf pour satisfaire la flicaille.

Un objet roule du coffre arrière et après quelques secondes une lueur éclatante, comme provoquée par une déflagration, monte du fond du cratère.

— Comme ça, ils vont croire qu'on a perdu le contrôle de notre véhicule et qu'on est allé se river le nez dans la caillasse lunaire. Ça devrait suffire à satisfaire leur manie d'écrire des rapports. Une affaire de plus de classée, c'est bon pour *leurs* statistiques.

Nous entrons dans le tunnel qui s'enfonce en pente raide vers le cœur même du satellite de *Terra nostra*. Après quelques minutes de descente on débouche sur une galerie circulaire faiblement éclairée. On dirait un parking. Sur le pourtour il y a une dizaine d'alvéoles ouvertes qui affectent vaguement la forme de notre vaisseau. Nous pénétrons dans l'une d'elles. La structure se referme et un sifflement m'indique qu'on pressurise l'enclos; il est donc prévu que nous allons quitter l'astronef. Pendant les manœuvres, de plus en plus intrigué par ce que je viens de vivre et d'*entendre,* je continue à sonder mon hôte...

4

Il racle la gorge de ses neurones pour s'éclaircir la

mémoire et continue son incroyable histoire.

— Mais les scientifiques, malgré leur infinie sagesse, avaient oublié une chose : les virus sont des organismes vivants capables d'évoluer. Et comme ils ne vivent pas bien vieux, les mutations se font très rapidement. Ainsi, en peu de temps, le virus en question s'adapta à différents milieux de telle sorte qu'un jour vint où toute relation sexuelle impliquant un échange de muquosité pouvait potentiellement le transmettre. Il se produisit donc ce qui devait se produire : les concepteurs de cette monstruosité biologique l'eurent dans le dos, c'est le moins que l'on puisse dire! Le coup du boomerang! Car les pauvres puritains, malgré leur profond dégoût de la chose, devaient périodiquement se souiller eux-aussi — pour l'hygiène! — dans la fange d'un épanchement spermatique ou cyprinal. Lorsque certains des leurs commencèrent à tomber, frappés par la maladie qu'ils avaient eux-mêmes concoctée et mise en circulation, les survivants terrorisés comprirent enfin l'évidence : toute guerre bactériologique finit par se retourner tôt ou tard contre ses instigateurs. Un peu dépités, ils abandonnèrent leur plan d'assainissement des mœurs par voie virale. Mais le ver était dans la pomme…

— Ils devinrent plus tolérants?

— Oh que non! Au contraire! L'analyse a montré plus d'une fois, et de plus d'une façon, que la frustration est le carburant qui fait le mieux tourner le moteur des frustrés! Ainsi, les éléments les plus conservateurs de la

Moral Majority réussirent à imposer l'idée que la dissuasion ne menait à rien — sinon à des catastrophes. Il fallait donc en revenir aux bonnes vieilles méthodes éprouvées : la répression pure et simple. Des lois sévères et une police non moins sévère pour les faire respecter réussiraient là où la propagande avait échoué.

— Mais comment peut-on penser réprimer efficacement les activités sexuelles de milliards de personnes? On n'a quand même pas osé mettre un espion dans chacune des chambres à coucher?

— On osa beaucoup mieux que cela encore! On fit une fois de plus appel à la Science Désintéressée. Heureux de servir le Bien Commun, ses grands prêtres fabriquèrent alors une sorte de galvanomètre assez sensible pour détecter le faible courant électrique que toute émotion sexuelle, si petite soit-elle, induit dans l'hypothalamus. Il a suffi ensuite de mettre au point un dispositif électronique minuscule et très simple pour amplifier ce signal, et le *Sexalert™* — ce gadget que tout le monde porte sur la tête — était né.

— C'est donc ça!

— Ceci fait, le gouvernement n'eut qu'à faire voter une loi qui obligeait tous les citoyens/citoyennes ayant atteint l'âge de la puberté à subir l'intervention chirurgicale destinée à l'installer en permanence sur et dans son crâne. Cette loi dit simplement que le *Sexalert™* ne doit jamais fonctionner en public et le moins souvent possible dans l'intimité. De lourdes amendes sont prévues pour la première offense et des peines d'emprisonnement pour toute récidive.

— L'opinion publique n'a pas réagi?

— Les jouisseurs n'ont malheureusement jamais été — jusqu'à maintenant — encadrés par une association ou un syndicat capable de diriger une action concertée pour faire pression sur le gouvernement.

— Il est vrai que tirer son coup est une activité hautement individualiste bien qu'on le fasse à deux ou à plusieurs, dis-je, histoire de montrer que moi aussi j'en connais un bout sur la question.

— Et puis, au début, le*Sexalert™* avait plutôt donné lieu à des plaisanteries. Dans les bureaux, les magasins, les places publiques, on s'ingéniait à le faire clignoter au maximum pour provoquer des malaises toujours générateurs de rigolades, particulièrement chez les jeunes mâles frondeurs. Ce signal lumineux remplaçait en quelque sorte le coup de sifflet admirateur.

— Ça devait être joli à voir dans les discothèques et les *cruising bars?*.

— En effet, on dit que cela fit mettre au rancart les éclairages d'ambiance qui avaient sévi jusque-là dans ces établissements.

— On voit mal en effet comment un programmeur aurait pu mettre au point un système son-lumière capable de s'adapter avec autant de synchronisme aux fluctuations des états d'âme que ressent la clientèle au fur et à mesure que l'heure de la fermeture approche. J'aurais bien aimé assister à ce spectacle... Ça devait être drôlement enrichissant

— Peut-être... Mais lorsque la patrouille du sexe commença à sévir, la farce devint moins drôle.... Il faut dire également à la décharge de mes ancêtres (et de vos descendants) que l'implantation véritable se fit sur quelques générations. On comptait surtout sur les jeunes pour que le port du *Sexalert™* devint progressivement une chose pour ainsi dire naturelle — aussi naturelle que l'obligation de se vêtir pour paraître en public, par exemple. Puisqu'on installe le gadget à la puberté lors d'une cérémonie d'initiation qui remplace l'antique Communion Solennelle (la Solennelle Implantation, que ça s'appelle), les jeunes adolescents/adolescentes sont fiers de porter ce signe qui indique à tous et à toutes qu'ils appartiennent désormais au monde des adultes, qu'ils ne sont plus des enfants. Le procédé est bien connu...

— Et bien connu aussi le fait que l'adolescence est probablement l'âge le plus conservateur qui soit... quoiqu'en pensent les tenants du Mythe de la Jeunesse Révolutionnaire! Mais les parents, eux, n'ont pas protesté?

— Ecoutez, je suis agrégé d'histoire et je me suis plus particulièrement penché sur votre misérable siècle, car c'est à ce moment que nos emmerdements débutèrent. Alors ne venez pas me dire que vous auriez mieux réagi. Je pourrais vous soumettre plusieurs documents d'époque qui signalent le cas de parents non-pratiquants qui faisaient baptiser leurs enfants à cause de la pression sociale ou familiale; ou encore le cas d'enfants non baptisés qui, vers huit, dix ou douze ans, insistaient personnellement pour subir ce shampoing magique afin de recevoir la confirmation et toute la batterie des autres sacrements en même temps que leurs petits amis. L'appartenance à un groupe suppose que vous fassiez les mêmes grimaces que ce groupe. Si vous ne vous conformez pas à ses rites et sottises, il vous rejettera comme indésirable. Et c'est d'ailleurs en jouant sur ce facteur que toutes les religions se perpétuent.

— Ne vous fâchez pas, monsieur mon hôte, j'essayais seulement de comprendre. Et, au demeurant, je suis assez de votre avis : le petit bout d'histoire que je connais m'incline à penser qu'on peut faire gober n'importe quoi à n'importe qui — pour peu qu'on exerce un contrôle efficace sur la diffusion de la connaissance. Mais dans un autre ordre d'idées, j'imagine assez facilement que le port du *Sexalert™* a dû aussi provoquer certains problèmes à l'intérieur des couples?

— Vous n'avez pas idée! Puisque, comme le cœur, ce foutu gadget est branché au plus profond du système nerveux autonome, il n'est pas davantage possible, même pour le plus flegmatique des yogi, d'agir sur lui que de suspendre *volontairement* et complètement le pompage du muscle cardiaque. La moindre pensée un tant soit peu cochonne le met aussitôt en marche quelle que soit la force de volonté du porteur ou de la porteuse. Plus moyen de nier! Et comment convaincre votre femme que la petite blonde du dépanneur vous laisse froid alors que votre *Sexalert™* devient littéralement fou lorsque celle-ci vous demande ingénument ce qu'elle peut faire pour vous?   Comment persuader votre mari de votre indéfectible fidélité quand votre *Sexalert™* s'envole presque dans le cosmos lorsque vous croisez certains hommes dans la rue?   Et cet inconvénient n'était pas — et de loin — le plus gênant! Car si on peut laisser tomber — ou feindre de laisser tomber — toute attitude possessive en admettant que l'amour n'implique pas nécessairement l'exclusivité sexuelle, il est, par contre, infiniment plus difficile de se faire à l'idée que votre partenaire s'emmerde en baisant avec vous. Et avec ce gadget sur la tête, plus question de simuler le plaisir... L'amour tournait vite au vinaigre quand, pendant une relation qui se voulait tumultueuse et passionnée, l'intensité du clignotant de l'un ou l'autre des partenaires tombait brusquement. Ainsi, bien des illusions et des ménages se brisèrent...

— Voudriez-vous insinuer que le couple ne peut vivre en bonne santé qu'en autant que demeure pour ses membres la possibilité de mentir? Venez répéter cela dans une session de *Marriage Encounter* de mon époque et vous allez vous faire lyncher, mon bon monsieur!

— Je n'insinue pas, je constate!

— Quoi qu'il en soit, les concepteurs de ce gadget étaient vraiment de vicieux stratèges! Il faut être bougrement rompu à la dialectique de la perversité pour arriver à imaginer que l'affichage continu des fluctuations de son désir ne peut finalement conduire à autre chose qu'à l'obnubilation même de ce désir.

— Vous avez très bien compris la situation! Avec le temps, la répression policière et les inconvénients domestiques que suscitaient le *Sexalert™,* on refoula progressivement toute envie de coït. D'autant plus que pendant ce temps les autorités continuaient leur propagande télévisée, disposant cette fois d'un argument autrement plus frappant que la baisse de productivité : le sexe pouvait tuer! Les amoureux étaient des criminels, on pouvait donc les traiter comme tels! La trouille au cul, la Majorité Silencieuse se mit alors du côté de la répression et commença à chercher des boucs-émissaires pour fin de lynchage propitiatoire. Il devint dangereux de laisser percer le moindre désir.

Suite à tout cela, il arriva ce qui devait arriver : comme les muscles s'affaissent quand ils ne sont pas assez souvent sollicités, à force d'être niée la fonction érotique finit par s'atrophier. La continence devint un mode de vie.

— Selon le principe qu'il vaut mieux trouver sans intérêt ce qu'on ne peut plus se permettre. Le syndrome des raisins-trop-verts, en somme...

— C'est ça. Le dernier chic des différentes modes d'avant-garde qui se succédèrent au cours des années qui suivirent, consistait à afficher un souverain mépris à l'égard du sexe, la forme que prenait ce mépris variant d'une avant-garde à la suivante.

269

— Ce qui n'est pas pour m'étonner car — à mon époque et à celles qui l'ont précédée, tout au moins — les avant-gardes ont toujours eu pour fonction, à leur insu le plus souvent, de renouveler l'emballage du discours de la classe dominante. Ils croyaient se gargariser en chapelle de subtilités byzantines, alors qu'ils travaillaient au maintien du régime. Et pour des *peanuts,* par surcroît!

— Les années passèrent encore. La Science, continuant son implacable marche en avant, a finalement réussi à contourner la difficulté causée par la reproduction de l'espèce : cette saloperie se réalise maintenant en laboratoire;   c'en est bel et bien fini de la jonction ridicule de deux sexes enflammés. L'idéologie de la rentabilité dominant plus que jamais, on se plaît à démontrer que cette méthode n'est pas du tout efficace, car elle ne fonctionne pas à coup sûr et, lorsqu'il y a conception, on obtient en bout de ligne une mauvaise copie d'un mélange imprévisible des gènes des deux géniteurs! Seules des peuplades arriérées s'en remettent encore à cette technique frustre et hasardeuse pour fabriquer la descendance qui aura la tâche d'assurer la reproduction du fonds de pension.

— S'il est vrai que la fonction crée l'organe, on pourrait croire que la réciproque le sera aussi : l'absence de fonction fera disparaître l'organe. Pourtant — je suis bien placé pour le savoir! — vous avez tout ce qu'il faut pour vous amuser en famille.

— Bien sûr, nous possédons des organes génitaux

parfaitement constitués; cependant, ils sont devenus comme les amygdales ou l'appendice : des morceaux d'anatomie tombés en désuétude, mais oubliés par l'évolution.

— Et moi, qu'est-ce que je viens faire dans tout ça?

— Laissez-moi continuer et vous verrez. Un jour donc, la sexualité n'exista plus que comme un souvenir obsessionnel dans la mémoire collective de la *Moral Majority;* les plus optimistes parmi ses membres étaient même persuadés qu'on avait enfin eu raison du monstre. C'est à ce moment que des archéologues, qui cherchaient tout autre chose, découvrirent dans les ruines de la Bibliothèque du Congrès des exemplaires non expurgés de romans et d'essais publiés pendant l'Ere de la Bestialité. Un certain nombre de ces ouvrages échappèrent à l'autodafé qui suivit et circulèrent sous le manteau. Quelques-uns de ces essais parlaient de la sexualité comme d'un principe vital qui détermine l'essentiel de l'existence, tandis que les récits romanesques étaient tous construits autour d'un sentiment étrange qu'on appelait l'Amour. Bien qu'utilisant des modes d'expression différents, il apparut évident après analyse que ces deux types d'écrits parlaient de la même chose. Les essais étaient assez arides, mais plusieurs descriptions des romans étaient tellement évocatrices, mettaient en scène des personnages qui semblaient tellement remués par ce qu'ils vivaient que ces livres anciens servirent de déclencheurs à un mouvement de libération qui couvait depuis quelque temps.

D'aucuns — des poètes, comme on les appelle par dérision — voulurent retrouver cette mystérieuse sensation que l'humanité avait perdue en cours de route vers... vers où, au fait?

Ah, la vache! Cette fois, c'est moi qui met un terme à la communication, car *nous* venons d'entrer dans un endroit d'un kitsch ahurissant! Ce n'est pas maintenant que je vais pouvoir trouver une réponse à la grave question existentielle que mon hôte vient de soulever, car il m'est tout simplement impossible de mener une quelconque activité intellectuelle dans un environnement qui agresse avec autant de désinvolture et d'insistance l'idée que je me fais de ce qui est visuellement tolérable... Et pourtant, vivant en Amérique du Nord depuis ma naissance, on ne discutera pas quand je dirai que j'ai appris à me faire une raison quant aux exigences esthétiques!

5

La «chose» présente toutes les caractéristiques du motel pas cher destiné à abriter les amours adultères peu ou pas planifiées. Ce qui est somme toute assez plausible, puisque dans mon bout de pays ce genre d'établissements se retrouve généralement dans les banlieues lépreuses. Et comme banlieue lépreuse de la Terre que rêver de plus adéquat que notre bonne vieille Lune au visage ravagé par les impacts des grumeaux de poussière d'étoile qui ne cessent de l'assaillir?

Pocono Lodge, que ça s'appelle. Si la vie en rose bonbon vous intéresse, venez vite, vous serez servis! Tout, *ab-so-lu-ment tout,* est d'un rose à vous dégoûter à jamais d'Edith Piaf et du chewing gum! Et partout où cela est possible, les objets sont en forme de cœur : baignoire, lavabos, boutons des robinets, lit, oreillers, coussins, tapis, tables, cendriers, portes, fenêtres, tableaux, etc. Même le banc des chiottes est en forme de cœur, ce qui suppose une drôle de conception du confort, à mon humble avis (humble avis inspiré par ma propre morphologie... laquelle m'apparaît, ma foi, assez standard)...!

— Mais qu'est-ce que c'est ça...?

— Le Paradis de la Lune de Miel, me souffle mon hôte avec fierté.

Je vois! Ils ont rassemblé ici tout ce que mon siècle a produit de quétaineries en rapport avec l'institution «voyage de noces» traditionnel. Ma parole, ils ont dû sûrement se documenter dans le *Reader's Digest* ou dans *Elle!* Voilà ce qui s'appelle une reconstitution historico-ethnographique rudement bien menée...

Derrière un comptoir, en forme de cœur, trône même une «Madame» blonde, poitrinaire, un rien vulgaire et pas du tout timide. Il a dû se glisser quelques erreurs d'interprétation, cette dame a plutôt l'air de sortir d'un film porno à petit budget que de veiller au bien-être

273

de nouveaux mariés!

Mon hôte et sa compagne louent tout de suite une chambre, se tapent l'inévitable bouteille de champagne de dépanneur, se déshabillent mutuellement comme on le fait dans les *soaps* d'après-midi, éteignent la lumière (curieuse idée) et se mettent à la tâche sans plus de cérémonie.

La séance débute comme dans le véhicule spatial, c'est-à-dire assez platement. Mais, cette fois-ci, *nous* disposons du temps nécessaire et la place pour prendre *nos* aises ne nous fait pas défaut. *Nous* allons donc pouvoir *nous* offrir le grand dérapage dans l'Hyper-cube libidinal, lequel, comme chacun sait, permet aux voyageurs astucieux de prendre d'importants raccourcis à travers l'Hyper-espace érotique et ainsi parvenir sans délais aux altitudes convenables... là où naissent et se déploient les plateaux de grande envergure...

Comme dans le véhicule également, après quelques essais plus ou moins fructueux, je suis convié à prendre la barre(!). Ce type, on l'a vu et on le verra davantage un peu plus loin, en connaît un bout sur le sexe théorique, mais côté pratique, on l'a vu également, il ne casse rien! Préférant, pour ma part, me mettre au lit plutôt qu'au livre, j'accepte de diriger l'orchestre — et j'accepte d'autant plus volontiers que je sens que dans la tête de *notre* partenaire un autre ego semble être en train de faire de même.

Je commence à deviner ce qu'on attend de moi... de

nous...

Malgré l'ambiance qui aurait pu démoraliser un couple de lapins normalement constitués, il s'ensuivit quelque chose d'absolument dément — et cela n'a rien de péjoratif. On a son orgueil et j'avais à cœur de répondre à ce qu'on attendait de moi. Il est hors de question de donner ici des détails qui pourraient choquer les bonnes âmes — ma société d'origine entretient elle aussi ses petites inhibitions et ses grandes peurs à l'endroit de l'activité copulatoire —, mais je peux quand même révéler que pendant les manœuvres d'arrimage, les deux *Sexalerts™* flamboyaient tellement que *notre* chambre ressemblait à un atelier de soudure en pleine activité! Et ils flamboyèrent si bien, du reste, qu'à la fin, lorsque les deux corps explosèrent de concert dans des orgasmes respectifs de force10 à l'échelle de Reich (Wilhelm), les lampes témoins tournèrent au blanc puis volèrent en éclat en laissant dans l'air une forte odeur d'ozone! J'ignorais, jusque-là, que l'amour pouvait exhaler de ces effluves supra-atmosphériques... Pas de chance, si nous avions été sur terre nous aurions pu ainsi contribuer modestement à la reconstitution de cette couche de gaz nécessaire à la santé de la vie sous toutes ses formes.

— Que voilà une bonne chose de faite! pensa alors mon hôte.

Mais il apparut que ce n'était pas suffisant... car les corps surchauffés n'eurent même pas la possibilité de reprendre leur souffle. Les derniers spasmes du plaisir n'étaient pas encore apaisés que déjà les ego qui n'y avaient pas participé *personnellement* nous obligèrent à remettre le couvert immédiatement!

Et ils soutinrent ce rythme infernal pendant quelques semaines. Ils avaient un sérieux retard à rattraper. C'est tout juste s'ils prenaient le temps de se nourrir. Une baise n'attendait pas l'autre! Dans toutes les positions et orifices possibles! *Nous* avons, comme ça, un peu potassé le *Kâma sûtra* — et même inventé les quelques chapitres qui, à mon sens, lui manquaient! À vrai dire, j'étais tombé amoureux, mais je ne savais pas de qui! Du corps de la fille? De l'un ou l'autre de ses ego? Ou alors d'un heureux mélange des trois?

Progressivement, mon hôte perdait un peu de sa timidité et s'approchait du poste de contrôle. Au sixième jour, il osa même *s'asseoir* à la place du copilote et, pendant un court instant, s'essaya à la conduite en insistant cependant pour que je le supervise de près. Les jours suivants, il continua ses interventions ponctuelles en augmentant d'une fois à l'autre la durée de sa participation.

Ses progrès étaient sensibles. Entre temps, j'avais compris — et l'hôte avait d'ailleurs confirmé mon diagnostic — que j'étais là pour le déprogrammer, pour lui réapprendre le côté dionysiaque du sexe. Je jouais le rôle de libido de rechange, en quelque sorte; comme un pneu de secours qui devait lui permettre de reprendre le voyage vers le Doux Royaume d'Éros...

Quand les deux amoureux eurent enfin adopté un rythme plus *normal*, je repris la discussion avec mon hôte. Par bribes, il m'informa qu'il faisait partie d'une organisation clandestine qui avait décidé de renverser la Puritanocratie qui empoisonnait l'existence de l'humanité. Cette organisation avait compris une chose assez fondamentale, à savoir que tout régime tend à édicter ses propres règles de gratification sexuelle, en prétendant, d'ailleurs, que toute déviation à ces règles relève de la plus immonde bestialité. La réciproque s'imposa donc d'elle-même : pour prendre le pouvoir il est nécessaire (mais non suffisant) de transgresser les tabous que ce pouvoir a inventés. Entre autres, il est essentiel de ne pas faire l'amour selon les normes qu'il a établies. À plus forte raison, si la baise est rigoureusement interdite, il faut s'envoyer en l'air comme des bêtes aussi souvent que possible. Bref, cette organisation avait compris que le sexe *peut* se constituer en activité subversive.

— Toutefois, nous nous heurtions à un problème insoluble : la fonction érotique étant morte, nous n'avions même plus la capacité de transgresser le moindre tabou. Nous pouvions bien théoriser à longueur de semaine sur l'importance de défier le pouvoir à ce sujet précis, mais dans la pratique nous étions tout juste capables d'obtenir une faible lueur à nos *Sexalerts™,* ce qui nous valait rien de plus que des amendes ou des peines de prison.

— Nous avons un mot pour désigner cet état de choses : *aliénation.* Cela se produit lorsqu'un groupe

277

d'individus est tellement dominé par un autre groupe qu'il n'arrive pas à se tirer tout seul du bourbier, principalement parce qu'il conceptualise, aussi bien la réalité que les moyens d'agir sur elle, avec les termes même du groupe dominant.

— Nous savons cela aussi. Voilà pourquoi nous avons décidé d'importer, pour nous servir de guides, des ego moins obnubilés par les contraintes — du moins par celles de notre époque. Et où les trouver, sinon dans le passé?

— Mais pourquoi choisir des ego doubles, cela limite singulièrement les possibilités de cueillette?

(Je saurai bientôt, comment ils contournent cette dernière difficulté...)

— Réfléchissez un moment! D'abord, nous sommes des humanistes : éthiquement, il ne serait pas défendable de priver quelqu'un de sa seule et unique personnalité. Ensuite, l'ego prélevé devant cohabiter quelque temps avec un autre ego, il est préférable d'utiliser un habitué de la cohabitation. Enfin, après réflexion, nous avons compris que le sexe, de par <u>ses</u> fonctions même, est avant tout une affaire de doubles et de dédoublements, aussi bien au sens propre qu'au figuré. Doubles parce qu'il faut être au moins deux pour procéder efficacement...

— Ignorez-vous qu'il existe des pratiques solitaires qui peuvent s'avérer tout à fait satisfaisantes?

— Nous sommes peut-être obnubilés d'une cloison

à l'autre, mais nous ne sommes pas ignorants à ce point! À vrai dire, théoriquement, nous en savons plus sur la sexualité que n'en a jamais su la plus paillarde des époques. Et de ce strict point de vue théorique, la masturbation en solo n'est pas véritablement une activité sexuelle, puisque sexe suppose binarité. Par définition. Ceci ne se veut pas une condamnation des pratiques solitaires, mais bien une distinction opérationnelle destinée à éclairer la discussion.

— Vous avez aussi mentionné le dédoublement, cela se réfère-t-il à la fonction originelle du sexe qui était — je dis bien: qui *était* — la reproduction?

— Il y a de ça — et c'est peut-être cette vocation première qui a marqué de son dualisme l'ensemble du processus — mais il y a davantage. Je veux surtout parler ici de dédoublements mentaux, sans lesquels il n'y a pas de relation sexuelle possible. Nous avons fini par comprendre que c'est justement notre incapacité à nous dédoubler qui nous rend impotents.

— Il est vrai que les comportements publics moyens de quatre-vingt-dix-neuf virgule neuf neuf neuf pour cent de la population laissent mal deviner les extravagances gestuelles et vocales dont sont témoins les lits et les banquettes d'automobiles du monde!

— Ce qui suppose un débranchage psychique momentané, c'est-à-dire un passage à un autre ensemble de comportements. Les *trips* de cul ne sont possibles qu'en remettant le contrôle entre les mains d'une autre personnalité, une personnalité possédant un surmoi moins développé que celle qui gère la vie sociale quotidienne. En conséquence, il ne suffit pas d'être deux pour faire l'amour efficacement, il faut être au moins quatre : chacun des partenaires et son double! D'ailleurs — et si ce n'est pas une preuve, c'est tout de même une solide indication —, les dédoublements pathologiques de personnalité sont toujours accompagnés d'une hyper-activité de la libido.

— Les services de répression des institutions psychiatriques de mon époque en savent quelque chose! Faut voir le boulot qu'ils doivent abattre les soirs de pleine lune! Triple ration de tranquillisants pour tout le monde.

Après quelque temps, les séances d'entraînement s'espacèrent. Pendant les périodes de repos, les deux hôtes discutaient de leur passé et de leur avenir respectifs. J'appris ainsi que, bien que militant dans la même organisation, ils ne s'étaient jamais vu avant leur rencontre dans la rue.

— Ça faisait déjà deux ans que j'attendais ma *greffe,* disait la femme. Mais je t'assure que je n'ai rien perdu pour attendre : je suis tombée sur une de ces gourmandes! (J'étais assez disposé à confirmer ce verdict...) Quand je t'ai croisé, *elle* était en moi depuis deux heures et je ne tenais plus en place. Et toi, il est comment ton précepteur?

— Ça peut aller... (Ah! l'ingrat!) ... Un peu verbeux pour un inculte du XXe siècle, mais on ne peut pas lui reprocher de manquer de conscience professionnelle... (Non, mais vraiment! il en a du culot, ce zigoto!) ... Dis-moi, comment savais-tu qu'un véhicule était camouflé dans cette cour?

— Je suis numéro trois dans la hiérarchie; affectée au département des transports, j'ai participé à leur installation. Il y en a un peu partout sur l'ensemble du territoire. Nous hésitons pour l'instant à révéler leurs emplacements aux membres, car des fuites sont toujours possibles. Nous sommes en train de mettre au point un système de communication qui avertirait automatique-ment les sujets au moment même où ils entreraient en possession de leur double.

Numéro trois! Pourquoi donc a-t-elle dû attendre deux ans pour se déprogrammer, alors? Mon hôte me fournit la réponse : la machinerie qui aspire les ego du passé manque de précision et on ne peut pas prédire quand et où les «aspirés» se fixeront. Pas de favoritisme possi-ble. Il arrive même que l'aspiré échoue dans la tête du plus fieffé des puritains. Il s'ensuit un combat cérébral qui se termine généralement par l'internement du récep-teur : des ego aussi antithétiques ne peuvent cohabiter, leur force psychique s'annule et il en résulte une disso-lution complète de la personnalité résultante.

— Crois-tu que nous pourrons passer l'examen bientôt? demande-t-il.

— Je pense être fin prête! répond-t-elle en rejetant

fièrement la tête vers l'arrière. Ne sommes-nous pas parvenus à faire griller nos *Sexalert™?*

Examen? Quel examen? J'ai tout de suite ramené ma binette au niveau de la conscience et j'ai posé des questions. L'OSE (Obsédé-e-s Sexuel-le-s Épanoui-e-s), car tel est le nom de leur organisation, a fondé en secret une colonie de peuplement sur Vénus. L'idée est de mettre sur pied une société «normale», constituée de citoyens épanouis à tous les niveaux, quelque chose comme une Abbaye de Thélème à l'échelle de toute une planète. Une fois cette société devenue assez forte, ce qui ne saurait tarder car l'épanouissement rend créateur, elle ira délivrer la planète-mère de l'engeance détestable qui la maintient dans une noirceur pire que celle qu'on attribue généralement au Moyen Age pour mieux oublier que la recherche des Lumières n'a jamais été le but poursuivi par quelque régime que ce fût.

Pour accéder à cette colonie, il faut d'abord suivre le stage de déprogrammation sur la Lune (ce que *nous* faisons présentement), puis de prouver avec satisfaction qu'on peut forniquer sans contrainte dans la joie et l'allégresse. Comme dans le cas du permis de conduire, l'examen comporte une partie théorique et un test sur le terrain. C'est évidemment sur le terrain (glissant?) qu'on enregistre le plus grand nombre d'échecs...

— Est-ce à dire que nous allons devoir procéder devant té...?

Épilogue

Mon pauvre alter-ego *ne termina jamais sa question. Tout d'un coup, il se sentit aspiré dans un abîme d'inconscience, comme si son hôte venait de le «flusher» dans le tout-à-l'égout de l'Absolu-Non-Etre. Un corps sans personnalité se sent aussi désemparé qu'une personnalité sans corps; ainsi, au même moment, une partie de moi-même s'obscurcit. Après quelques instants — ou quelques heures, ou quelques semaines, ou quelques années, je ne saurais dire — de cet indéfinissable voyage au Royaume des Morts, mon* alter-ego *revint à la lumière pour s'apercevoir qu'il était de retour sur terre dans une grande ville silencieuse en tout point identique à celle où il avait atterri la première fois. Rapidement, il réalisa qu'il logeait dans la tête d'un autre membre de l'OSE qui déambulait sans but au milieu d'une foule silencieuse composée d'individus, affairés et inquiets, engoncés dans des vêtements gris et amples qui ne laissent deviner aucun des détails anatomiques propres aux quatre ou cinq sexes qui gueusaillent... etc... etc...*

Le même scénario se répéta : une rencontre dans la rue; les Sexalert™ *qui se déchaînent; les flics qui rappliquent; la fuite intempestive sur la lune; une chambre à* Pocono Lodge; *la baise sauvage pendant quelque six semaines et le retour sur terre pour recommencer le tout avec quelqu'un d'autre. Et ainsi de suite,* ad nauseam. *Un véritable cercle vicieux! En interrogeant ses différents*

hôtes, il apprit ce qu'il avait déjà à moitié deviné :
l'importation des ego du passé consommait énormément
d'énergie et coûtait des sommes pharamineuses aux
importateurs. En conséquence, quand on «mettait la
main» sur un ego de bonne qualité, on se le repassait.

Au début, il trouva la chose amusante car sa libido
exigeante — tant au niveau de la fréquence qu'à celui du
renouvellement des partenaires — y trouvait son compte.
Sachant désormais ce qu'on attendait de lui, il se piqua au
jeu et devint d'une efficacité inégalable. À l'apogée de sa
forme, il arrivait à reprogrammer un refoulé sexuel par-
venu au stade ultime de l'atrophie en moins de deux
semaines, montre en main.

Bien sûr, inévitablement, tout ça finit par le lasser.
Du sexe, comme dit le proverbe, il en faut, mais point
trop n'en faut. Peu à peu, il perdit de son efficacité.
Troublé par cette baisse de performance, il devint brutal
et agressif envers ses partenaires, croyant par la violence
retrouver la forme d'antan. Ce coup de fouet lui redonna
effectivement une vigueur étonnante... Étonnante, mais
éphémère, car le sadisme est l'anti-chambre de l'impuis-
sance. Il faut croire, dans ces conditions, que l'impuiss-
ance est la salle à manger du masochisme, puisqu'un jour
il en vint à prêcher la chasteté totale et entière comme
mode de vie menant le plus directement à la béatitude
spirituelle...

Voyant cela l'OSE le réexpédia en catastrophe dans
le passé sans prendre toutes les précautions qu'il eût fallu.

Il échoua en 1946 dans la tête d'un comédien polonais de 26 ans. À cette époque, ce dernier, assoiffé de succès de foules, se demandait vers quel créneau il pouvait bien orienter sa jeune carrière pour satisfaire cette dévorante ambition. Lorsqu'il reçut en lui ce militant néo-puritain venu du futur, il crut avoir été visité par la grâce divine. Il se fit aussitôt prêtre et, ainsi secondé, il entreprit sur le champ une croisade acharnée contre l'amour charnel qui allait le conduire assez loin de sa chaumière polonaise.

L'évidence s'impose donc : mon alter-ego *fabriqua lui-même l'amorce qui déclenchera la répression sexuelle qu'il avait contribué à combattre dans le futur. Triste retour des choses!*

Moi, pendant ce temps, je me languissais de mon double (car je ne désespérais pas de le ré-éduquer) mais je ne voyais pas comment le récupérer. Un jour j'ai pensé qu'en assassinant son nouvel hôte, j'empêcherais l'avènement de la puritanocratie qui allait susciter l'apparition de cette association de Psyrates qui m'avait ravi ma douce moitié. En mai 1981, j'ai tenté de mettre ce projet à exécution, mais j'ai raté mon coup. Un pauvre turc, qui avait la sale tête du même nom qui convenait pour faire la une des médias, fut accusé à ma place...

Et depuis cet échec, rongé par le remords, diminué par la solitude, je vais de par le monde, hagard, sans désir... J'ai tout perdu, même le goût de faire l'amour...

Achevé d'imprimer
en novembre 1987 sur les presses
des Ateliers Graphiques Marc Veilleux Inc.
Cap-Saint-Ignace, Qué.